El *Amor* MÁGICO
Y LA SEXUALIDAD SAGRADA

Diseño de portada: Editorial Sirio, S.A.

© Ramiro Calle Capilla, 1993

© de la presente edición
EDITORIAL SIRIO, S.A.
C/ Panaderos, 9
29005-Málaga
España

Nirvana Libros S.A. de C.V.
Calle Castilla, nº 229
Col. Alamos
México, D.F. 03400

Ed. Sirio Argentina
C/ Paracas 59
1275- Capital Federal
Buenos Aires
(Argentina)

www.editorialsirio.com
E-Mail: sirio@editorialsirio.com

I.S.B.N.: 84-96595-12-9
Depósito Legal: B-39.417-2006

Impreso en los talleres gráficos de Romanya/Valls
Verdaguer 1, 08786-Capellades (Barcelona)

Printed in Spain

Ramiro A. Calle

El Amor MÁGICO
Y LA SEXUALIDAD SAGRADA

HOJAS DE LUZ
EDITORIAL

INTRODUCCIÓN

Hay una búsqueda que no cesa, una búsqueda que proporciona otro significado a la existencia. Esa búsqueda se torna lo más real entre lo real y es un intento por hallar el sentido a la existencia y acceder a otro conocimiento distinto al que procura el pensamiento. La mente ordinaria resulta insuficiente en el viaje interior, y la percepción común, distorsionada por toda suerte de condicionamientos, no tiene el alcance necesario para revelar lo que está más allá de las apariencias. A menudo este rastrear nos obliga a desmasificarnos y descomputadorizarnos, pero no es ni mucho menos egoísta, pues en la medida en que se nos revelan otras realidades, las compartimos con los demás y, al modificar positivamente nuestra actitud, mejoramos la relación con las otras criaturas. Es una senda hacia el encuentro con uno mismo, salpicada a veces de escollos, temores y zozobras. Para seguirla, muchos buscadores necesitan instrumentalizar místicamente aquello que les otorgue poder, energía y aliento: amistad, creatividad, arte, amor... Esta búsqueda apunta hacia la realidad paralela a la realidad aparente. Se utilizan métodos de autoconocimiento, claves esotéricas, mapas espirituales y procedimientos que nos ayuden a escalar a otro nivel más iluminador de conciencia.

El amor mágico y la erótica mística o sexualidad sagrada se han convertido, desde antaño, en vías hacia lo supracotidiano. La gran energía del deseo y la pasión se pone al servicio de la búsqueda esotérica. El fuego del anhelo amoroso se instrumentaliza para aprehender otro tipo de conocimiento. No olvidemos que todos los grandes sistemas de autorrealización han insistido en la necesidad de desplazarse más allá del pensamiento para conectarse con una energía reveladora y transpersonal. Se sigue un proceso de transegoización para recuperar la visión liberadora. El buscador se ha servido laudablemente del amor mágico y la sexualidad sagrada para desalojar lo conceptual e ideacional de la mente y permitir que otra energía la sature aunque sólo sea por unos segundos. Es la poderosísima energía del silencio pleno y fecundo.

Como dicen los maestros de la India, la vida es en cierto modo un drama hasta que aprendemos a establecernos en lo Único y podemos deleitarnos en el Ser. Todos tendemos hacia una completitud o unidad cuya ausencia nos hace sentirnos profundamente insatisfechos. Pero, con frecuencia, buscamos senderos hacia esa unidad allí donde no podemos hallarlos y así, en lugar de emprender el consolador camino del retorno, nos vamos alejando del Origen cada día en mayor grado. Los estados cumbre de la conciencia (cuando fortuita y afortunadamente se producen) que a veces experimentamos mediante el arte, la contemplación de la naturaleza o el abrazo amoroso, son un destello de ese sentimiento de total plenitud al que uno puede acceder. Si hombre y mujer, cuando existe amor, buscan fundirse, es porque existencialmente aspiran a esa unión en lo exterior que provoca la unión en lo interior, ya que todos, desde nuestra fragmentación y sensación de desvalimiento, ansiamos completarnos y sentirnos más seguros. Nos hemos desgajado de lo Uno y, sepámoslo o no, anhelamos recobrar nuestra unidad. Vagamos por esta sinuosa ruta de luces y sombras que es la existencia humana ensoñando tiernas, dulces y sugerentes experiencias, pero nos enfrentamos con una realidad a menudo agria y que gusta de ponernos en jaque vital y psicológico. Cuando comprendemos que el dolor alcanza a todos los seres y que cada una de las criaturas persigue la felicidad, comenzamos a desarrollar compasión y a humanizarnos, puesto que la mayoría de las veces no somos más que homo-animales.

La pasión es una extraordinaria potencia. También, por su mismo carácter, puede poner alas de libertad o grilletes, colaborar en el crecimiento interior o favorecer la regresión. La pasión puede ser biológica, sentimental o emocional y puede inclinarse hacia objetos muy diferentes. Tiene sus mecanismos de identificación y puede devenir absorbente y posesiva si no opera con alguna conciencia y sabiduría. Se puede dar lo mejor de uno por la pasión, pero también lo peor. La pasión construye o destruye, según se canalice y hacia dónde se proyecte. En cuanto a la pasión amorosa, habría que distinguir entre la profana y la mágica o supracotidiana. La denominación de esta última se debe a que no queda confinada en los límites y signos de lo común y ordinario. Es una emoción tan intensa y embargante, tan tumultuosa a veces, que crea estados alterados de conciencia y abre puertas a percepciones insospechadas. Este tipo de pasión desbordante y desbordada puede sacramentalizarse o bien vivirse ciegamente, con sus riesgos y posibles desatinos. Cuando la pasión se instrumentaliza para despertar fuerzas internas y explorar realidades ultrasensibles, podemos hablar de la pasión mágica. Es uno de los temas que abordamos en esta obra. Otros son el amor consciente, la sexualidad sagrada y el amor mágico. Refirámonos en primer lugar a este último.

¿Qué es el amor mágico? Es el sentimiento amoroso y pasional que se canaliza mágicamente, es decir, que se utiliza no sólo para el disfrute romántico y emocional, sino como llave para abrir estancias que escapan al pensamiento-emoción ordinario. Pero este amor, para que pueda ser mágico, tiene que serlo ya en cuanto brota, esto es, se experimenta al instante como un amor intenso, turbador y voluptuoso. Al momento la persona queda tocada por el ser hacia el que se siente atraída. Una nueva energía romántica y pasional se desencadena en el interior de uno mismo, y la persona deseada se torna el centro de atención, la adorable criatura, la mujer u hombre absolutos. En tales momentos, muchos anhelan que ese amor sea eterno e imperecedero. Es un sentimiento que esmalta de pasión y romanticismo toda la vida anímica del que lo experimenta. Hay un afán de unión con el ser amado. Este amor de naturaleza demiúrgica e iniciática ha fluido, más o menos encubierto, en numerosas tradiciones tanto orientales como occidentales, a menudo fuera de la ortodoxia religiosa y la moralidad convencional. Un amor así puede ser tan intenso y envolvente que el que lo experimenta, si no ha desarrollado su conciencia considerablemente, se sentirá desarbolado, fuera de sí mismo (enajenado) y sometido a oscilaciones anímicas de todo tipo.

¿Qué es la sexualidad sagrada? Es la instrumentalización iniciática y mística de esa gran fuerza que es la sexualidad. Se ejercita lúcidamente, para crear y no procrear. Aunque obviamente, y al igual que la sexualidad profana, reporta disfrute, no se satisface sólo con ello, sino que aspira a conducir la mente a otros estados y modos de percepción y a penetrar realidades que escapan al entendimiento ordinario. Se torna así el abrazo amoroso práctica meditativa, ejercitamiento para acrecentar la conciencia. Este tipo de sexualidad exige necesariamente la puesta en práctica de unos requisitos que la conviertan en praxis liberadora. En algunas tradiciones iniciáticas se ha insistido en que, para que la erótica mística desencadene una intensidad capaz de bloquear el pensamiento ordinario y pueda surgir otro tipo de percepción, se requiere un compañero/a que nos provoque gran pasión y que con frecuencia no puede ser el cotidiano, pues la falta de magia y el desgaste de las sensaciones no generan la poderosa energía romántico-pasional que se requiere. Es por esto que en diversas tradiciones la sexualidad sacramental ha tenido un carácter extraconyugal o incluso se ha llevado a cabo entre aspirantes que se habían tratado muy poco con familiaridad. Naturalmente, si con la propia compañera/o existe la suficiente intensidad amorosa, el rito puede llevarse a cabo con éxito. Lo importante es que la atención opere en niveles muy altos, así como la energía y la perceptividad, para que la cópula no sea profana sino iniciática. Pero la sexualidad sagrada no debe estar nunca contaminada por el apego, el egoísmo, las presiones, las dependencias mórbidas o la demanda de seguridad. Al celebrarse la cópula mística se trata de despertar las energías internas y homologar el intercambio de energías cósmicas, hallando una fecunda complementariedad que dé como resultado el hijo del espíritu (no de la carne) y el androginato alquímico-místico que representa la unificación interior.

¿Qué es el amor consciente? Es el verdadero amor. Cualquier otro palidece al lado de éste o es un mero sucedáneo. Sin amor consciente, incluso el amor mágico y la sexualidad sagrada se convierten en un divertimento arropado de hipócritas conceptos. El amor consciente es el único que merece llamarse así. Salvo algunas personas que lo experimentan inherente a ellas, la mayoría de los seres humanos tienen que propiciarlo, cultivarlo y desarrollarlo. Todos tenemos, por lo general, muy obturado el centro psíquico del corazón. El amor consciente es el yoga más elevado y seguramente el más difícil. Resulta más fácil brillar con la mente que con el corazón. Decía Buda: «Dieciséis veces más brillante que la luz de la Luna es la del Sol; dieciséis veces más brillante que la luz del Sol es la de la mente; dieciséis veces más brillante que la luz de la mente es la del corazón». No es difícil ser un hombre de cerebro, pero sí lo es ser un hombre de corazón.

El amor consciente se formula muy sucintamente: es poner los medios para que los otros seres sean felices y evitarles en todo lo posible el sufrimiento; es amar con lucidez, sin dependencias ni aferramientos, atendiendo las necesidades vitales y de crecimiento de la persona amada.

Cuando el «amor» con pasión se esfuma, ¿qué queda, qué permanece, qué perdura? En cambio, cuando el amor con pasión y con compasión se asocian, aunque la primera se desvanezca, la segunda siempre permanece, como una orquídea hermosa e inmortal, exhalando su aroma generosamente y sin reclamar nada a cambio. Es el amor solar y espléndido: ése que puede conducirnos de la mente cavernícola que se perpetúa en nosotros hacia el corazón humano. Es el gran viaje. Sólo algunos se esfuerzan por recorrerlo, porque la mayoría prefiere mantenerse en el espectáculo sombrío de una mente egocéntrica, confusa y voraz.

1

ENAMORAMIENTO,

Amor

Y SEXUALIDAD

El amor, en sí mismo, es indescriptible. Habría que decir: se siente o no se siente.

Escapa a la descripción del lenguaje y como está más allá del pensamiento, no podemos llegar a él a través de las ideas. Ha habido, sí, muchas definiciones sobre el amor, pero todas son meras y difusas aproximaciones para referirse a un sentimiento-emoción-sensación-ser que la pobreza del lenguaje y la insuficiencia del pensamiento no pueden definir. Resulta en realidad más sencillo decir lo que no es amor que lo que es el amor. Pero no se trata tanto de sondear sus mecanismos y conocerlos como de aprender a manejarnos con esa fuerza tan poderosa y, sobre todo, aprender a cultivarla, orientarla, enriquecerla, intensificarla y hacer de ella un bálsamo para restañar heridas, una alquimia para mejorar interiormente, un elixir para optimizar la relación y procurar felicidad a los otros y a uno mismo.

Dependiendo del objeto amoroso devienen muchas clases de amor, pero el amor ciertamente es sólo uno: amor. Las clasificaciones se hacen por conveniencia; convenientes, pues, pero también falaces. El amor es una energía poderosísima que, según al objeto amoroso hacia el que se dirija, toma uno u otro carácter.

Pero el amor místico, el amor cósmico, el amor paterno-filial, el amor fraterno y el amor amistoso sólo tienen un signo y un color: amor. Se puede decir que el amor es inclinación a lo que consideramos hermoso, fuente de felicidad, manantial de disfrute, entrañable, apetecible, enriquecedor. Podemos indicar que es un anhelo hacia lo que consideramos sublime, esencial e importante para nosotros, amable y adorable, susceptible de despertar nuestra capacidad de incondicionalidad y entrega. Se puede señalar que es un sentimiento profundo que nos invita a compartir y cooperar con otra persona, poner medios para que sea feliz, crear un espacio de intercambios de afecto y ternura, confidencias y complicidades. Se puede apuntar que es un sentir profundo hacia una persona, ocupándose y preocupándose por ella, en comunicación desde el ser, con compasión, queriendo incluso tomar su sufrimiento y liberarla de todo pesar si ello fuera posible. También puede decirse que es una tendencia de enorme empatía-simpatía hacia una persona, que despierta el afán de comunicarse y relacionarse con ella, compartir y departir, entrar en unión y comunión profundas.

Todo ello es el amor y mucho más. Se crea una poderosa corriente de cariño, y la persona amada toma un lugar firme en la mente y el corazón del que ama;se instala en el que ama y se incorpora a él; ocupa un espacio en sus pensamientos, sus emociones y sus afectos. La energía fluye y fluye del que ama al amado. La persona amada forma parte natural de uno mismo; siempre cuenta, no nos es ajena, siempre está, más o menos rememorada, en alguna parte de nosotros. Unas veces la pensamos y otra la sentimos; a veces la echamos de menos o dialogamos en nuestra mente con ella, nos ocupa y hace sentir su presencia sutil; tenemos conciencia de que existe y de que la queremos. La persona amada inspira ternura, indulgencia, cariño profundo, compasión. Llegamos a amarla incluso a pesar de ella misma y cuando el amor es inmenso y profundo, la amamos aunque no sea merecedora de nuestro amor o vaya contra él. Esa persona adquiere considerable relieve y peso específico para nosotros. Entra a formar parte de nuestra vida psicológica y mental. Nunca nos es indiferente; siempre conserva su brillo emocional para nosotros. La sentimos y presentimos, nos causa dolor y placer, nos llena y pone en marcha corrientes de afecto que nos revitalizan y nos ayudan en «la ineluctable pesadez de vivir». Así es en todas las clases de amor, cuando el amor es tal. Brota un sentimiento de unión, una interrelación emocional muy profunda, la confianza y el sentimiento confortante y reconfortante de que está uno en disponibilidad para la persona amada y ella lo está para nosotros.

Dado que, de un modo inconsciente o preconsciente, todos sabemos qué impotentes, vulnerables y frágiles somos (niños desvalidos disfrazados de adultos), hallamos al amar y ser amados un sostén, un refugio, un apoyo y una energía extra. El amor místico es de todos el más intenso, «el muero porque no muero», el inconmensurable anhelo de fundirse con la Totalidad, retornar al Origen, establecerse en lo Uno. Hasta que se obtiene la fusión con el amado, se peregrina por la noche oscura del alma, a la espera de ser tomado por el

Único. Y si el amor místico es el más intenso, el amor con enamoramiento le sigue en gradación, y a poco que hayamos leído a los místicos (los de cualquier época o latitud: Chaitanya, Rumi, Kabir, Ramakrishna, Eckhart, san Juan de la Cruz...), nos damos cuenta de que éstos expresan su amor al Divino en términos tintados de erotismo, del mismo modo que los amantes no dudan en utilizar para definir sus emociones los términos de divino, celeste, mágico, cósmico, sublime, inefable y otros de marcado carácter místico.

Pero si todo amor, en tanto no se purifica y se hace consciente, adolece de ciertas y en principio inevitables negatividades o trabas (como el afán de posesión, la sutil manipulación, las presiones e imposiciones, los celos y demás, que se dan en todo tipo de relaciones), es el enamoramiento el que pone al descubierto con mayor intensidad tales contaminaciones, y existen notables diferencias entre el simple enamoramiento sin amor, el enamoramiento con amor y el enamoramiento con amor consciente. También las hay, obviamente, entre la sexualidad por la sexualidad misma, la sexualidad con amor o amorosa y la iniciática o sacralizada.

ENAMORAMIENTO Y ENAMORAMIENTO CON AMOR

¿Por qué nos enamoramos? Es cierto que decimos enamorarnos de una melodía, una escultura, un cuadro, un atardecer, un niño, un paisaje o incluso una idea, pero ésa es tan sólo una forma de expresarnos para indicar que algo nos despierta un gran interés o incluso nos fascina. Sin embargo, el enamoramiento de otra persona que ejerce sobre nosotros una gran inclinación hacia ella, un afán, incluso desmedido, de tratarla, acariciarla, sondear en su vida, hacerla nuestra confidente, sentirla a nuestro lado y compartir ternuras y desvelos ¿depende de nosotros? ¿Por qué nos enamoramos? ¿Podemos decir en justicia que nos enamoramos, o que «algo» opera por nosotros para que nos enamoremos? Ese intenso deseo (que brota a veces inmediatamente) de relacionarnos con la criatura que descubrimos, de experimentar con ella la palabra y el silencio, de acompañarla y ser acompañado, de sentir su presencia y pasar tanto tiempo como sea posible con ella, ¿podemos decir que es voluntario? Hay quien se enamora porque está buscando enamorarse, sí, en un intento por quebrar las rutinas de su vida, hallar otra persona con la que compartirse psíquica y físicamente, superar la soledad, encontrar una nueva motivación e incluso seguir así, sea de manera consciente o inconsciente, los viejos patrones de conducta y las ancestrales pautas sociales. Pero hay, y no es raro, quien incluso se enamora a su pesar; hay a quien el enamoramiento le turba y le perturba. Porque cuando hablamos de enamoramiento, más que decir «yo me enamoro» habría que especificar «algo se enamora por mí». Ese «algo» es casi siempre, en el trasfondo, como una poderosa corriente subterránea que se nos impone, un deseo sensual y sexual, que se queda en sensual en el amor cortés o en el amor platónico, o en la imposibilidad de acceder al objeto amoroso, pero que aun así está frecuentemente pivotando sobre la libido, y que nos impele hacia el ser que nos enamora. Esa poderosa energía sensual (satisfacer los sentidos a través del universo de las sensaciones) y sexual nos inclina hacia una persona que despierta en nosotros la ilusión de gozarla, aproximarnos a ella, acariciarla, vivenciarla y hacer de ella nuestra compañera de alegrías y fatigas. Nos embelesa, nos conturba, nos precipita en emociones intensas, contradictorias y, a menudo, hasta hipnóticas. Del mismo modo que en justicia resulta difícil decir «yo pienso», porque con frecuencia los pensamientos nos piensan, o «yo siento», porque los sentimientos nos sienten, más difícil sería decir «yo me enamoro», porque son las potencias primarias en mí las que se enamoran; es decir, así como el amor es una actividad activa, el enamoramiento lo es pasiva. ¡Cuántos se desenamorarían en un momento dado si a tanto llegara su poder! Pero en el enamoramiento se ponen en marcha energías muy sutiles y otras, claro que sí, muy instintivas, y brotan así dos tipos de apego a cual más intenso: el apego sutil, que sería el anhelo de cercanía, complicidades, sentimientos románticos, miradas y todo ese juego de sutilezas sentimentales que a veces creemos, de manera errónea, que se hallan más allá de la libido, cuando seguramente son resultado de ésta; y el apego físico, este último más directo y menos complejo, consistente en unirse sexualmente a la persona, disfrutarla, encender mediante ella la fuerza pasional y acceder a una envolvente experiencia erótica.

En el trasfondo de todo esto se encuentra la sensación. Como decía Buda, además de las cinco clases de sensaciones físicas proporcionadas por los respectivos órganos sensoriales, también está la sensación mental; es decir, el que se enamora complementa muchas veces, aunque no siempre, las sensaciones físicas con el deseo de fusión psicológica, intercambio de ternuras y complicidades, anhelo de compañía del ser amado, comunicación mutua de experiencias anímicas, complementariedad de ilusiones, sentimientos, apetencias y proyectos. Se enardecen los sentidos y brota la pasión, y cuando ésta es extrema y se halla al margen de la luz de la conciencia puede poner al descubierto todas las carencias psíquicas y afectivas, así como crear muy fuertes dependencias mórbidas o incluso un estado de *folie á deux* o locura compartida. Los enamorados conforman su propio aparte y pueden vivir de espaldas a todo y a todos, en una especie de trance a dos alimentado por un vehemente erotismo. Se genera una especie de recíproca hipnosis y autohipnosis, de encantamiento poderoso que reporta euforia y entusiasmo a los que experimentan el enamoramiento, pero que no resulta un estado realmente expansivo (si falta el amor consciente), sino muchas veces limitador y que puede convertirse en el crisol del aferramiento, del afán de posesividad, de los celos y reproches, de las exigencias desorbitadas, de las dependencias neuróticas y de las neuróticas demandas de seguridad. El enamorado, entonces, sólo halla bienestar con su amada y vive en un estado de ansiedad flotante. Un enamoramiento tal, aun en el mejor de los casos y existiendo reciprocidad, es fuente de angustia, pero en el peor de los casos es manantial de agitación constante, descentramiento y dolor. Uno deja de estar en uno mismo para estar obsesivamente en el ser amado.

Se trata de una alienación no voluntaria ni consentida, porque el enamoramiento, salvo que discurra a la luz del amor consciente y de cierto discernimiento, es una fuerza inconsciente y mecánica en la que intervienen la biología, la química y las potencias psíquicas subliminales, muchas veces éstas tan difusas como incognoscibles. El enamorado se torna un reflejo de la persona amada y sus estados anímicos concuerdan con el modo en que se va llevando la relación.

Psicológicamente, se halla al alcance del objeto amoroso; toda la libido está proyectada hacia él. Por eso, cuando el objeto amoroso huye, el enamorado se desgarra, experimenta un dolor abismal, se abate hasta lo indecible, no halla brillo ni sentido en nada y es como si todo se viniese abajo. Salvo en los casos de personas con una sólida estabilidad psicológica, el enamorado abandonado siente un total desvalimiento y una tan poderosa herida narcisista que queda tocado durante meses. Era tal su ilusión que no puede por menos de caer en un estado de desilusión. Al ser abandonado por el objeto amoroso tenderá aún más a idealizarlo e investirlo con toda suerte de cualidades divinas y su pesadumbre será todavía mayor. La expresión cotidiana de «sorber el seso» (y el sexo) resulta realmente aclaratoria. La persona enamorada se encuentra a merced de la persona amada. La pasión abrasadora no sólo quema los sentidos, sino demasiado a menudo los cables mentales. Hay quien tanto pone (carga, proyecta, traslada) sobre la persona amada que, si ésta se aleja, ¿qué le resta al enamorado? Es como si la persona enamorada se quedará sin alma, sin ilusión vital, sin anhelos de ningún tipo y, en su insuperable desmotivación, sólo hallará un consuelo (también mortificador) retirándose al ámbito de sus obsesiones mentales y a las repetitivas ideas de cómo pudo, debió o podría ser, maquinando insaciablemente (e incansablemente) el modo de reconquistar a la persona amada, ¡como si alguien lo hubiera conseguido cuando ésta ha entrado en desamor! La atracción puede resultar tan poderosa, y obsesiva, que el enamorado es capaz de cometer los actos más ridículos y grotescos cuando la persona amada le abandona. Se llega a estar «enfermo de amor», y no cabe duda de que en tales situaciones, desenmascarantes de nuestra psicología (porque en tales casos no hay quien mantenga el tipo), se pone al descubierto el carácter de una persona y se evidencia su verdadera forma de ser interior y exteriormente. En este sentido, la experiencia se convierte en un fiel y válido test psicológico.

En el enamoramiento al desnudo, es decir, sin amor ni consciencia, la pasión puede tornarse no sólo enceguecedora, sino también destructiva o autodestructiva. No es un amor para el crecimiento, sino a veces para alimentar carencias internas de peso. Todo depende, obviamente, del grado de madurez y evolución del enamorado. Si el enamorado no está equilibrado (y habría que preguntarse si la persona equilibrada se enamora sin amor y sin consciencia), se consumirá en sus subconscientes contradicciones, alterados estados de humor e incertidumbres, y cuando no halle satisfacción en la relación se sentirá airado, frustrado y confundido. Hay que tratar a los enamorados no correspondidos con cariño y compasión, porque se tornan almas en pena y necesitan sentirse comprendidos. Se vuelven monotemáticos al hablar (sólo lo hacen sobre su angustia y tribulación) y tienen una única obsesión: recuperar a la persona amada. Dondequiera que vayan, su mente está con la amada; dondequiera se encuentren, nada hay que no sea el recuerdo de la amada. Aunque los acompañe una docena de personas, están ausentes. Embebidos en sus obsesiones, son ajenos a todo. Realmente se tornan muy aburridos, pero hay que ser pacientes con ellos. ¿No es el enamoramiento una enfermedad por la que casi todos los seres humanos pasan? Aquellos que vivieron una gran pasión dicen a veces, cuando ya pasó: «Una para conocerla, sí, pero no más». Nadie es tan taciturno como el enamorado abandonado. Ni él mismo comprende lo que le pasa; es como si fuera víctima de un hechizo. Llega a no saber si lo que le sucede es por su déficit psicológico, porque en verdad amaba a la persona de la que estaba enamorado o por su propio ego herido. Realmente es una *mélage* con numerosos ingredientes. Lo mejor que podía hacer el enamorado es desistir de sus intentos por resolver la situación y «aclararla» con pensamientos confusos y obsesivos que no le llevan a ninguna parte, pues, como dice el viejo adagio oriental: «No se puede lavar manchas de sangre con sangre». Si pudiera parar un pote su mente y abrir el corazón, el remedio habría comenzado. Pero durante meses roe el insustancial y tedioso hueso mental hasta que logra aceptar y asumir que la persona amada se ha perdido para siempre (al menos al nivel amoroso). Si uno posee la suficiente madurez psicológica para aceptar el hecho de inmediato, ya estará curado. Es la esperanza la que se convierte en el infierno para la persona enamorada que ha sido abandonada.

Tanto y tan arrobador placer le reporta el enamoramiento al enamorado cuando es correspondido, hasta tal punto le sustrae de lo cotidiano que, por eso, y por otros muchos factores psíquicos, emocionales y sexuales, surgen los inevitables enganches. La avidez de enamoramiento no tiene límites; es voracidad irrefrenable. Y el enamorado no discierne para entender que la energía de enamoramiento se esfuma... y se esfuma siempre. Si todo es transitorio, ¡cuánto no más la pasión! Puede desvanecerse lentamente, es lo común (por el uso y abuso de sensaciones que conducen finalmente al desuso), pero también de golpe, de forma repentina. De súbito uno se percata de que no hay enamoramiento, ni pasión... ni nada (salvo si el enamoramiento ha sido con amor real). En tal caso el enamoramiento era el truco descubierto del prestidigitador, la ilusión que se disuelve, la artimaña que deja de funcionar. El que estaba enamorado deja de recibir alteraciones agradables en su sistema nervioso (e incluso lo que le placía de la persona amada puede llegar a resultarle aborrecible), y si no había real amor en cuanto se quiebra el flujo del enamoramiento, se acaba irremisiblemente la relación. Se da entonces paso a la indiferencia o, en el peor de los casos, incluso al rechazo. Cuando no ha sido fecundado por el verdadero amor, ese enamoramiento desaparece y la relación se trunca por completo. Al cesar la inclinación amorosa propiamente dicha, y si no está complementada y suplementada por otros factores de genuino amor, se prescinde del objeto amoroso, porque ya no resulta tal, y se suple, si hay ocasión para ello, por otro más placentero. No podemos imaginar a una madre que vaya con su niño por la calle y, porque viera otro más hermoso con su respectiva madre, propusiera a ésta el cambio; pero, bien al contrario, cuando el enamoramiento es sólo enamoramiento o búsqueda de gratificación sexual-romántica, al suspenderse la corriente de dicho enamoramiento, uno está predispuesto a hallar otro objeto amoroso.

En el enamoramiento, pues, existe una atracción física y sutil, pero no una atracción de almas. Hay enamoramiento, pero a menudo no hay amor y mucho menos amor del alma. Bien es cierto que, partiendo del enamoramiento y con el trato, uno puede ir apreciando cualidades estupendas en la otra persona y comenzando a sentir amor real por ella, de modo tal que, cuando el enamoramiento acabase, el amor proseguiría; en tal caso, las personas deben optar por seguir con la relación aun cuando haya cesado la atracción física, o suspender la relación de pareja o amantazgo y suplirla por una fraternal o amistosa. Si toda relación estuviera sustentada sobre la firme pantalla del amor y la amistad, aunque tomase rumbos muy distintos y adoptase diferentes evoluciones, siempre se mantendría el *sustratum* amistoso, incluso aunque cesara toda química y romanticismo. Cuando el enamoramiento concluye, si hay afecto profundo y real cariño insuflado por la relación de pareja, se disolverá el sentimiento amoroso, pero quedará uno humano mucho más profundo. Si éste es suficiente o no para continuar la relación, eso deben decidirlo los miembros de la pareja. Pueden separarse sin traumatismos psíquicos o emocionales y seguir una relación fraterna y amistosa o suplir el vínculo del enamoramiento por el del amor. Habrá personas que se satisfarán con lo último, pero otras ansiarán hallar una relación de enamoramiento distinta. Cualquier opción, a la luz de la conciencia, es saludable y sirve para el crecimiento interior. Por supuesto, cuando cesa la relación romántica y las sensaciones se debilitan, se abre una fisura por la que puede entrar, más o menos fácilmente, una tercera persona. El cariño, a veces, no es ni mucho menos suficiente para contrarrestar la pasión que pueda brotar por una tercera persona. Hay que aceptar y comprender que toda sensación se agota, hasta la más placentera. Existen parejas en las que, tras haberse desgastado toda sensación física, pero manteniéndose un enamoramiento psíquico y humano, cada uno busca por su lado la sensación y prosiguen maridados. La fidelidad no es un valor en sí mismo, ya que depende de las culturas y códigos. Wats declaraba que si todo se puede compartir (comida, casa, lecho...), ¿por qué no ha de serlo el sexo? Pero no resulta fácil mantener la declaración de principios «prefiero compartir a perder», y menos aún lo es mantener la actitud saludable y madura de saber soltar a la «presa».

El enamoramiento es una ilusión, y no hay ilusión que se mantenga de por vida. La amistad es mucho menos vulnerable y, obviamente, más estable. Pero el enamoramiento, puesto que mueve energías telúricas e instintivas y se enraiza en arquetipos y códigos de toda la evolución de la especie, proporciona una dosis de entusiasmo y vitalidad insospechados, y así la persona enamorada saca a flote todos sus recursos de resistencia física y halla en su motivación una gran euforia. Buscamos esa fuente de energía fuera de nosotros, cuando en realidad está en nuestro interior. La persona que nos enamora sería la llave para abrir nuestro compartimento interno de vitalidad. Sin embargo, al poner la energía fuera de nosotros (grave error de óptica), cuando el enamorado no es correspondido se siente como una rueda desinflada, más abatido de cuanto pueda decirse. Todo pierde su brillo y su color hasta que se recupera a sí mismo. Se siente calamitosamente si sospecha o tiene la certidumbre de que el objeto amoroso ama a otro y, en sus profundas contradicciones, pasa del amor al odio con increíble rapidez. Unas veces se siente engañado, vejado, humillado, y querría tomar venganza; otras, se ve despechado y desconsiderado y hace toda suerte de reproches mentales al objeto de su enamoramiento; otras, se lamenta o conduele de su propia conducta, de su necedad por no haber sabido conservarlo a su lado, y se precipita en dolorosos sentimientos de autoculpa. Pero todos estos mecanismos y automatismos, tan ciegos a menudo como lo son los del amor, pueden verse y escudriñarse en profundidad a través de la conciencia.

Toda relación humana debe caminar hacia una dimensión de amor. La relación de enamoramiento no es una excepción. De otro modo sólo es una especie de masturbación compartida y de cuerpos prestados, por mucho que se adorne con sentimientos románticos y noveleros. Es, obviamente, saludable la satisfacción sexual y la excitación del enamoramiento, pero no debe dar lugar a inútiles e innecesarios autoengaños. Enamoramiento sin amor es como un edificio sólo con la fachada e incluso inseguramente apuntalado. Enamoramiento con amor es algo muy distinto, infinitamente más rico, humanizado y pleno, con la garantía de que, al concluir el primero, persistirá el segundo. Enamoramiento con amor consciente quiere decir mantener el entendimiento a pesar de las arrolladoras corrientes químicas y aprender a apreciar todas las cualidades humanas, anímicas y existenciales en la otra persona. En el enamoramiento con amor consciente atendemos las necesidades de la persona de la que estamos enamorados y no la contemplamos sólo desde una perspectiva corporal, sensual y romántica (para nuestra propia gratificación), sino que aprendemos a valorar todo su ser y a poner los medios para que se desarrolle y crezca vital y psicológicamente. Si el enamoramiento sin amor estrecha la conciencia, es egocéntrico y exclusivo, despierta celos y suspicacias y puede llegar a perturbar profundamente y generar desgarramiento, el enamoramiento con amor consciente es integrador, expansivo e incluyente, se purifica de celos y exigencias, ama pero no presiona, disfruta pero no exige ni manipula, sabe soltar llegado el caso y sabe asumir la pérdida y la propia soledad, pero sin sufrimiento histriónico ni ñoños estados anímicos.

Del mismo modo que el místico busca y ansía la unión con el Amado, el enamorado persigue la unión con la amada, pero todas esas fuerzas que operan mecánica y compulsivamente y que se desarrollan a partir de automatismos biológicos y de la psique profunda pueden ser contempladas con entendimiento impidiéndose así que se tornen destructivas y haciendo que se conviertan en medio de crecimiento y desarrollo interior, vía hacia la integración y no enfangado y sinuoso sendero hacia el lado siniestro y cavernícola que reside en todos nosotros.

SEXUALIDAD PROFANA Y SAGRADA

La sexualidad es una gran energía. La inmensa singladura de la especie tiene como columna vertebral la sexualidad. Ésta impone sus poderes y sus leyes; en realidad es una gran tirana. La biología nos mueve con sus vigorosos hilos invisibles y todo lo arregla, rearregla y codifica para seguir creando vida. Nos utiliza; se sirve de nosotros como el músico de un instrumento para emitir sonidos. Sabe engañarnos y movernos en la dirección que quiere. Es una inteligencia inconsciente, pero de excepcional sagacidad. Pone los medios y condiciones para que la vida prosiga. Si el sexo es uno de los grandes apegos y si proporciona tanto placer es porque ésa es su artimaña para que sigamos (o siga la biología) creando vida. Se impone con su particular fuerza, la pasión, para que no se interrumpa la inmensa cadena de la evolución. A veces se reviste con disfraces muy sutiles para que se perpetúe la especie: crea necesidades y sentimientos de procreación en la mujer (y la convierte a menudo en procreadora,

El amor sagrado y el amor profano, de Tiziano
(Galería Borghese, Roma).

Eva, y no en creadora, Lilith) y maneja al hombre infatuándole y estimulando su ego para que se perpetúe a través de la carne de su carne. El hijo no pertenece en último caso al hombre y la mujer, sino que es un triunfo de la biología, que utiliza dos cuerpos con su apremiante energía para seguir procreando.

Cuando experimentamos una sensación profunda de excitación sexual, no nos cuestionamos todas las consideraciones a las que hemos hecho referencia. El primer movimiento mental y físico es la intención y el anhelo de satisfacer esa sexualidad. El adolescente inventa mil y una formas (algunas realmente anecdóticas y curiosas) de masturbación. Cuando estamos sexualmente excitados, ansiamos aliviar la tensión sexual y hallar placer orgásmico. Así ocurre en los seres sintientes. Es la energía sexual de la evolución de la especie. Todo está dispuesto sabia y ladinamente en los cuerpos y sus necesidades sexuales para que la vida prospere. El «saltacamas», por ejemplo, no está haciendo otra cosa que dejarse guiar compulsivamente por sus códigos sexuales, aunque en su actitud también esté haciéndole el juego, a menudo, a unas cuantas carencias emocionales, situaciones inacabadas o asignaturas pendientes, afanes de reafirmación psíquica, sutura de heridas de soledad, etc. Es, aparentemente, la sexualidad por la sexualidad. El objeto sexualizado pierde su identidad. ¿Qué más da en tal caso? Basta con que tenga unos genitales y una estructura física a la que agarrarse. El cuerpo busca su satisfacción y la biología sigue sus leyes. Es la sexualidad desprovista de cualquier sentimiento. El que la practica, si no engaña ni hace daño, asume su responsabilidad. Ni siquiera hay que introducir juicios de valor al respecto, ni mucho menos conceptos de siempre dudosa moralidad. Pero los maestros de

Oriente dicen que es una pena disipar así ese poder, hacerlo tan mecánico, compulsivo y, a la larga, tedioso, vaciarlo de todo contenido energético, anímico y espiritual cuando puede ponerse al servicio del sentimiento, el amor, la búsqueda y la integración. Este tipo de sexualidad es banal. Se ha venido denominando vulgarmente en castellano «echar un polvo», como el que se toma una hamburguesa de pie en una barra. Pero, desde luego, un gourmet (aunque lo hiciera alguna vez excepcionalmente) no se toma la hamburguesa, y mucho menos de pie en una barra. Esta clase de sexualidad es la más deshumanizada, simplemente porque no siente la humanidad de la persona con la que se satisface, es decir, no proporciona un peso específico al objeto amoroso, que le pasa del todo indiferente, excepto como medio de gratificación. En las antípodas de esta sexualidad tan desprovista de emociones, sentimientos y estados anímicos se ubica la sexualidad sagrada e iniciática.

Otro tipo de sexualidad sería la amistosa. Es aquella que brota entre amigos o personas bien conocidas. Es la amistad coloreada con demostraciones sexuales y afectivas. No es plena, pero es muy agradable y moderadamente satisfactoria. No produce una explosión, pero puede resultar entrañable y placentera. Sería una sexualidad sin complicaciones, sobre la base de un afecto amistoso.

La sexualidad amorosa es más intensa. El enamoramiento despierta pasión y la experiencia sexual se torna embargante, intensa y muy vigorosa. Es una sexualidad de cascada, violenta y arrolladora, que hace que los amantes se devoren y se entreguen con frenesí a caricias, besos, abrazos y experiencias orgásmicas. Cuando el enamoramiento y la pasión van debilitándose, si hay amor y todavía las sensaciones resultan placenteras, se origina un tipo de sexualidad menos vehemente, más calma, pero que puede resultar muy gratificante. Es la sexualidad de valle.

Muy diferente a los tipos de sexualidad expuestos (y claro que hay muchos otros), se encuentra la sexualidad sagrada o iniciática; es el erotismo místico. Tiene otras leyes, actitudes, intenciones y signos. Es casi una religión, un sacramento, un vehículo de trascendencia. Se aprovecha ese gran poder que es la energía sexual, no para quedar sometido, sino para dar el salto. Éste es el tipo de sexualidad que ahora indagaremos.

LA SEXUALIDAD SAGRADA

Desde tiempos inmemoriales el ser humano ha buscado otras dimensiones de la conciencia, otros modos de percepción y experiencias anímicas supracotidianas. Con este propósito ha concebido y ensayado métodos y procedimientos para trascender los esquemas ordinarios de la mente y desarrollar una percepción supraconsciente. Sirviéndose de técnicas energéticas y psicomentales, ha tratado de explorar las realidades subyacentes y las dimensiones de lo suprasensible y rescatar profundas vivencias más allá de las que procura una mente dual y conceptual. Comoquiera que la sexualidad es una fuerza considerable, una poderosa energía vital y telúrica, algunas corrientes para el autoconocimiento y el autodesarrollo le han atribuido un carácter sacro y demiúrgico y han utilizado la libido y el sexo en general como instrumento salvífico y liberador. Así, la relación sexual sacralizada es bien diferente a una relación común, e incluso se nos hace saber que si la complacencia sexual ordinaria puede llegar a debilitar por el abuso, producir cansancio y desgastar las sensaciones hasta consumirlas, la sexualidad mística redobla nuestra vitalidad, despierta energías aletargadas, nos conecta con los más orientadores arquetipos, suprime las ideaciones mentales para darnos a conocer otros lados de la mente y desencadenar otro tipo de percepción, favorece el cuerpo y la mente, previene contra el apego y el aferramiento y ayuda notablemente al acrecentamiento de la conciencia. Es una sexualidad que expande, estimula, abre y comunica. En ese caso las energías sexuales potencian otras energías vitales y son fuente de salud, integración y vitalidad. Se favorece la purificación y circulación de las energías sutiles, se abren los canales energéticos y se logra una implosión en la conciencia para que pueda captar otras realidades. Esta clase de sexualidad mística (que el tantrismo indio ha propiciado desde hace siglos, así como el yoga taoísta) se sirve de todos los potenciales sexuales y amorosos para tender un puente con el Infinito. Creando una energetización sexual-amorosa de muy alto voltaje, se trata de suprimir los procesos ordinarios de la mente, abrir los centros de energía-conciencia (sobre todo los más telúricos, vitales e inferiores) y estimular, o acopiar las energías internas que nos pasan desapercibidas. Hay una reunificación de energías y una reorientación de éstas hacia el autodesarrollo y la evolución de la conciencia. Se hace así de la relación sexual un yoga o *sadhana*, es decir, un método de reintegración espiritual.

Según las escuelas iniciáticas de la erótica mística, se siguen unas u otras prescripciones, actitudes, métodos y pautas, pero, por lo general, se enseña a los participantes a que desarrollen mucho su atención, estén excepcionalmente perceptivos, aprendan a ralentizar y pausar la respiración, efectúen durante la cópula movimientos muy lentos y pausas de inmovilidad y mantengan una mentalidad adecuada, homologando el acoplamiento de las poderosas fuerzas cósmicas de carácter femenino y masculino. El hombre, además, deberá aprender a llegar al borde del orgasmo y no precipitarse en él o, si lo hace, disponer de métodos para no eyacular más que de vez en cuando y en el momento en que lo determine voluntariamente. Esta aproximación al orgasmo (después de un tiempo considerable de cópula) puede provocar un buen número de microorgasmos en el hombre, sin eyaculación y de intensidad suave. Se considera que desparramar siempre el esperma evita el aprovechamiento de sus energías sutiles (la luz del semen) y que, además, al conservarse, se puede conducir a la sangre o a la linfa, revitalizando y purificando todo el cuerpo físico junto con el cuerpo sutil. Como la mujer no echa fuera de sí misma su semen (se habla del semen femenino), no sufre ningún desgaste, sino que, bien al contrario, sus propias sustancias (y cuanto más se produzcan sería mejor) le resultan muy beneficiosas física y energéticamente. Las energías, estimuladas y bien canalizadas por la sexualidad mística, se propagan por todo el cuerpo, y los diferentes centros de energía silencian la mente y cultivan la atención pura y penetrativa. Con este tipo de relación no sobreviene fatiga, «abatimiento», indolencia, sino una gran vitalidad, energía redoblada y vigor. Pero, además, el hombre puede permanecer mucho tiempo en el abrazo amoroso, satisfaciendo plenamente a la mujer y logrando un maravilloso intercambio de ternuras, caricias, energías y sublimidades. Es necesario para el hombre regular muy bien la respiración y suspenderla si llega el caso, apartar cuando quiera la mente de los genitales y ponerla en las ternuras y caricias, sin precipitarse así en una pasión que le desborde y provoque, a su pesar, el orgasmo. Es necesario aprender a efectuar movimientos lentos y también a inmovilizarse (aunque prosigan besos y caricias) y ejercitarse en el dominio del pensamiento, la respiración y el semen. Al prolongarse el abrazo físico, surge el abrazo sutil y comienzan a dispararse poderosas energías que crean una nube de intensidad, vitalidad y comunión. Hay yoguis chinos que sugieren este tipo de relación incluso como terapia para trastornos de eyaculación precoz, impotencia y otros.

Mediante la relación tántrica se desencadena un impulso no sólo hacia la otra persona, sino también hacia lo Inefable. La fuerza erótica se pone al servicio de la Búsqueda, y la implosión amoroso-energética se utiliza para lograr la fusión de los contrarios (amargo-dulce, frío-calor, es decir, la superación de las categorías mentales ordinarias) y hallar otro tipo de percepción menos contaminada y limitada. La sexualidad se torna procedimiento místico y alquímico, medio para la mutación interior. Pero esta sacralización de la sexualidad tiene prescripciones muy definidas, y la utilización mística de la pasión para hallar la paz interior y el autodesarrollo no resulta fácil, porque es la pasión el fuego en el que muchos queman precisamente su paz interior, su equilibrio y hasta su cordura. La pasión es como un afiladísimo estilete que hay que aprender a utilizar. Debe quedar bien claro, para comprender el carácter de la sexualidad sagrada, que una cosa es el erotismo común o profano y otra muy diferente el deseo puesto al servicio de la exploración de realidades que nos pasan frecuentemente inadvertidas.

2

EL

Amor

CONSCIENTE

El amor consciente se sitúa justo en las antípodas del amor mecánico. Es un yoga (método de perfeccionamiento) muy elevado, un ejercitamiento de máxima importancia para la apertura del corazón, el cultivo de las emociones positivas, la óptima relación con los otros seres y el crecimiento interno. Lo denominamos consciente porque, a diferencia del amor mecánico, sometido a compulsión y automatismos ciegos de todo tipo, se inspira y se ilumina en la conciencia, esto es, está regido por la atención, que es, sin duda, la más preciosa función de la mente y la que nos permite darnos cuenta. Aplicamos también la conciencia al amor para purificarlo, liberarlo de trabas personalistas y narcisistas, limpiarlo de emociones que nada tienen que ver con el verdadero amor. El amor consciente es la aplicación del entendimiento claro y la conciencia lúcida a cualquier tipo de amor, sea éste fraterno, paterno, filial, romántico, sexual, amistoso o incluso místico.

El amor consciente, para la mayoría de las personas, exige un cierto adiestramiento, mayor o menor dependiendo de la naturaleza del individuo. Comporta sus propias leyes y su aplicación nos facilita el acrecentamiento de la conciencia y la madurez interna. Es una vía muy significativa; un sendero de corazón a corazón y alma a alma. Desde siempre ha habido genuinos maestros espirituales que han insistido en la necesidad del amor consciente y, si éste imperase, no se cometerían tantas atrocidades en nombre del «amor», el cual, cuando es mecánico, se torna muchas veces dogmático, aferrante, fanático y destructivo. Bien es cierto que nos será tanto más fácil adiestrarnos en el amor consciente en la medida en que logremos desenraizar nuestra mente del sentimiento de posesividad y de la avidez y podamos relacionarnos desde un estado interno de mayor armonía, capacidad de entrega, disponibilidad anímica e incondicionalidad. El ego reforzado impide toda comunicación real. Se produce así, en lugar de un encuentro, un desencuentro. De hecho, nos pasamos la vida más que encontrándonos con los otros, desencontrándonos. Una relación apuntalada en el ego nunca será fluida, rica y energética y, de manera inevitable, terminará generando fricciones, actitudes contraídas, temores y suspicacias, exigencias y reproches y una buena dosis de frustración.

La frustración surge a menudo porque las personas que decimos o creemos querer no se amoldan a los esquemas, patrones o fantasías que hemos configurado. Es decir, no nos basta con que nos quieran, sino que encima tienen que querernos (y demostrárnoslo) como nosotros ansiamos y esperamos. Toda relación humana deviene un maestro y una enseñanza, porque con frecuencia pone al descubierto carencias afectivas, huecos de soledad, expectativas irracionales, exigencias patógenas y carencias psíquicas. Pero debemos considerar que, si fracasamos en la relación con los otros seres, nuestra vida es un fracaso, por mucho que hayamos logrado brillar socialmente o acumular. Cuando el ego interviene en exceso (y suele hacerlo con asombrosa facilidad), la relación se empobrece y se crea una atmósfera, más o menos sutil, de resquemores, manipulaciones, reproches y sinsabores. Esto sucede en todo tipo de relaciones, tanto familiares como amistosas o amorosas. Obviamente no consideramos relación como tal a cualquiera de las que se manejan en el plano mercantilista o profesional.

El ego es un enemigo mortal para todo tipo de relación. También lo son las opiniones encontradas e irreconciliables, la incompatibilidad de caracteres y la densa pantalla de los conceptos. ¡Cuántos seres queridos se han distanciado por un inútil puñado de conceptos! ¡Cuántas innecesarias y ridículas disputas por puntos de vista distintos o contrastes de pareceres! El ego es un demonio que pervierte toda relación, porque conlleva, alimenta y retroalimenta el falso amor propio, el narcisismo desmedido, los celos, el afán de posesión, el aferramiento, el anhelo de imponerse sobre la otra persona y hasta modificarla incluso a su pesar, las presiones de todo tipo y las insensatas exigencias. En tal caso, ¿cómo aspirar a una relación fecunda, creativa, de recíproca y verdadera cooperación? Otros demonios son la apatía para con la relación, la rutina, los hábitos coagulados, el desencanto progresivo, el resentimiento, las desatenciones, la desconsideración, los humores negativos y los engaños. Seguramente el demonio de los demonios sea la mecanicidad. Porque la mayoría de los seres humanos nos encontramos en

un estado crepuscular de conciencia y estamos psicológicamente inmaduros y semidesarrollados, dejamos que nuestra
mecanicidad y embotamiento mental, psíquico y sensorial,
todo lo anegue, incluso la relación de amor con cualquier
persona. La mecanicidad nos abotarga, nos hace emocionalmente sonámbulos, nos somete a la fuerza adormecedo-
ra del hábito, nos enrutina y limita, nos roba atención y, en
suma, nos estrecha. Toda relación florece y reflorece cuando se le presta atención; es decir, cuando se la atiende,
como el buen jardinero se ocupa primorosamente de la
orquídea. Pero estamos tan ocupados y preocupados con
nuestros afanes cotidianos, tan faltos de lucidez y sensibilidad, tan carentes de genuina perceptividad y tan inconscientes de que en cualquier momento podemos perder al ser
querido (o él perdernos a nosotros) que nos comportamos
en las relaciones sin ninguna frescura, sin hermosas expre-
siones y manifestaciones de cariño, permitiendo que la relación se acartone, se diseque y muera por falta de su minis-
tro afectivo. Esto es aplicable a cualquier tipo de relaciones,
incluidas, por supuesto, las paternofiliales. Y hay que entender, y entender antes de que sea demasiado tarde, que todos
podemos aplicar el amor consciente a cualquier tipo de relación: los padres hacia los hijos, los amigos hacia los amigos,
los amantes hacia los amantes y los hermanos hacia los hermanos, así como los hijos hacia los padres. También necesi-
tamos entender que el amor consciente es cálido y entrañable, y que aplicar la conciencia (que es darse cuenta, percatarse, ser lúcido) no va en detrimento de su carga emocional
y afectiva, sino bien al contrario.

La conciencia es mucho más que pensamiento, racionalidad o lógica. La conciencia es percepción y proporciona

mucha energía, intensidad y penetración, lo que ayuda sin duda a eliminar todo atisbo de enrarecimiento en la relación y a encontrar la manera de salvar resistencias anímicas e incluso modificar la relación si es necesario. Cuando hay amor consciente, el amor es perdurable. Puede variar el tipo de relación, claro que sí (por ejemplo, en una relación amoroso-sexual si finaliza la atracción erótica), pero no se merma la energía de amor. Puede ser necesario poner término a la relación en un sentido, pero el amor, si es genuino y consciente, permanece. Quien ama conscientemente jamás hace daño intencionado al ser amado. Si hay equívocos, los resuelve. Si ofende, se disculpa. No interpone el ego ni el personalismo, no arruina una relación por autoimportancia o autosuficiencia narcisista. Sabe dar y recibir, darse y dejarse tomar. Sabe asir y soltar. ¡Es tan importante saber soltar! Una relación consciente es siempre para la evolución y el crecimiento; es un don, es un regalo. Pero no abundan las relaciones libres de contaminaciones emocionales, psíquicas o mentales, porque todos nosotros fantaseamos, proyectamos, enjuiciamos, rechazamos o nos aferramos.

Toda relación debe ser gratificante, de entrega y cooperación. Cuando la relación se torna una compraventa de emociones, experiencias y sensaciones, se corrompe. Por otro lado, hay que aprender a aceptar, lo que no quiere en absoluto decir resignarse, ser poco firme o débil o una hoja al alcance de las ventoleras anímicas de la otra persona. Tanto mejor aceptaremos cuanto mejor nos aceptemos. Como decía un místico indio: «Porque soy débil, comprendo tu debilidad». Si estamos más a gusto con nosotros, más a gusto estaremos con los demás. Si sólo somos un saco de odio, avidez, rencor, ira y frustración, ¿qué podremos compartir con los seres queridos? Las emociones, aunque no se exterioricen, se transmiten; son energía. Quien está contento transmite alegría, como quien está irritable transmite irritación.

En la relación hay que estar en apertura, de manera que se conecte con una longitud de onda bella, abierta, sin autodefensas, plena. Esa apertura no es posible cuando la mente está llena de actitudes egocéntricas y el corazón se encuentra obturado. La mayoría de las veces ni siquiera vemos a la persona como es. Proyectamos nuestra psicología, nuestras expectativas, fantasías, sospechas o temores. He aquí la razón de que la persona que nos encantaba, tal vez un día, aunque siga siendo la misma, nos resulte grotesca; o que lo que en ella más amábamos nos resulte insoportable; o que nos empeñemos en modificar lo que tanto apreciábamos en ella. No somos capaces de ver, porque no atendemos, no tenemos un buen dintel de conciencia. Interpretamos, juzgamos, superponemos nuestras expectativas o fantasías, pero no vemos. Los padres no ven a los hijos ni los hijos a los padres; los amigos no ven a los amigos ni los hermanos a los hermanos. Los enamorados, por su parte, generalmente son los que menos ven, y de ahí que a menudo ése que parecía un amor entrañable y eterno se torne aborrecimiento, odio o rechazo cuando desaparece la mecánica bioquímica y la biología cede para dar lugar a los recíprocos intereses materiales que desencadenarán una guerra sin cuartel. Cuando se observa atónito a dos personas que se despedazan después de años de convivencia y de decir que se querían, uno, por mucho que se esfuerce, no puede creer que hubiera verdadero amor. El amor real perdura. No es como una candela que se consume. Aunque el ser amado resulte insoportable, mezquino, nos haya engañado y tengamos que protegernos de él distanciándonos, aun así, si se da ese caso, seguimos amándole. Por otro lado, no es fácil que en cualquier relación la culpa sea responsabilidad de uno solo. Los dos egos comparten la culpa si se puede hablar en términos convencionales de tal.

Y todo ello se evitaría de una manera directa: APLICANDO EL AMOR CONSCIENTE. No sabemos si se puede decir que se aprende, pero, desde luego, sí que se ejercita. Cuando se afirma que el amor es ciego, no se habla de amor: tal vez de automatismos biológicos que escapan al control. El amor es lúcido; es una fragancia especial y espacial; termina siendo una actitud natural, espontánea y sublime. Origina un sentimiento de unidad, pero jamás de enfermiza simbiosis, dependencia mórbida o terror en perder al ser amado.

En el amor consciente no se ama desde el ego, sino desde el ser. Podríamos decir que es un amor ontológico, existencial. Por eso, este tipo de amor se va tornando cada vez más transpersonal, y no depende siquiera de que los seres amados nos correspondan o no. Pero desde la mente egocéntrica es muy difícil entender este tipo de amor completamente desinteresado. Mediante él sentimos la necesidad y la satisfacción de proporcionar felicidad al ser amado y ejercitamos lo suficiente la atención, para atenderle. Al estar más atentos, descubrimos sus necesidades y ponemos medios para, en lo posible, satisfacerlas. Es, sin embargo, un amor desde la independencia. Amar conscientemente no quiere decir adolecer de firmeza, ser débil o dependiente, ni dejarse explotar o manipular por la persona amada, sino todo lo contrario. Incluso si uno, por incompatibilidad de caracteres o intereses vitales opuestos, no puede tratar a menudo a esa persona, la actitud amorosa continúa y la benevolencia sigue fluyendo hacia el ser amado. En el amor consciente uno desea la felicidad de aquella persona a la que se ama. No hay, pues, una relación personalista ni ventajista. Es, ciertamente, una dimensión del amor que hay que ganar y conquistar, porque muy pocas personas acceden a ella de una manera espontánea. Se requiere una mutación interna, así como comprensión profunda, valoraciones certeras y, por supuesto, compasión. El amor consciente se genera y regenera en el sentimiento hermoso de la compasión. Cuando tomamos lúcida conciencia del sufrimiento que espera al ser o a los seres amados (por muy afortunada que nuestra vida pudiera ser, pues el sufrimiento espera a la vuelta del camino de la vida a todas las personas), experimentamos una muy profunda y real compasión, y deseamos de veras poder liberar al ser o a los seres amados sufrimiento, de modo que entramos en una corriente de simpatía-empatía hacia él o ellos.

El amor consciente requiere un intento, un propósito de conseguirlo, además de atención, buena posición, ternura de corazón, perceptividad y motivación. Consiste en poner los medios y condiciones para que la persona amada sea feliz, y evitarle, en lo posible, todo sufrimiento. Uno colabora en su progreso interior y madurez, aun a riesgo de que esa persona, al evolucionar, determine salir de nuestro ámbito, porque, como antes señalábamos, el amor consciente sabe por igual asir y soltar. Es delicado, básicamente delicado, porque no gusta de dañar, presionar o manipular. Nos enseña a considerar, no a buscar continua consideración. Es por ello un amor solar y expansivo. La mayoría de las personas estamos en el amor lunar (la Luna no tiene luz propia y ha de recibirla del Sol), exigiendo consideración, reciprocidad, atenciones... El amor solar es denominado así porque, como el Sol, envía sus rayos de amor en todas las direcciones, expansivamente, sin parcialidades y sin siquiera preocuparse de si alguien quiere recibir o no.

El amor consciente tiende lazos de genuina comunicación. No hay temor a expresarse, sino recíproca aceptación; no hay autodefensas ni atrincheramientos psicológicos; no pone vallas, no se acoraza, no se contrae. Se basa en fomentar todas las formas de comunicación, desde las más burdas, como el lenguaje común, hasta las más sutiles, como el paralenguaje y el supralenguaje. Cuenta mucho la emisión de buenas intenciones, energías positivas y afectos. La energía es mucho más elocuente que todas las palabras... y menos engañosa y falaz. Hay que colaborar en la vía de evolución de la persona amada, saber comunicarse con su interioridad, crear un poderoso vínculo de afectividad inquebrantable. El amor consciente se va purificando de celos, presiones, dudas y reproches. Por eso es un amor que no se marchita ni se afea, que sabe mantenerse en constante renovación. No se juzga, no se compara, no se sopesa entre lo que se da y lo que se recibe, no intervienen los prejuicios ni las ideologías y está siempre más allá de toda variación en los automatismos bioquímicos, tendencias biológicas o sentimientos románticos. Puede acabar la relación sexual, puede haber una separación de vidas y de actividades, pero por ello no se resiente jamás el amor consciente. Varía la situación, se modifica la relación, pero el amor consciente prosigue, porque él, por su carácter, se sitúa más allá del enamoramiento, la química, el universo de las sensaciones físicas,

Alegoría del amor, del Veronés (Galería Nacional, Londres).

las variaciones de humor o los altibajos emocionales. Si se trata de una relación en la que había enamoramiento y sexualidad, pueden finalizar estas apetencias, se puede poner término a la relación de pareja o al intercambio sexual, pero el amor consciente permanece y emerge invicto. Porque este tipo de amor no depende ni está supeditado a que el otro nos reporte o no sensaciones agradables en el sistema nervioso, nos sumerja en pasiones desenfrenadas o encienda todos nuestros mecanismos eróticos. Es más, también hay que aplicar el amor consciente a la relación sexual-amorosa y al amor mágico, porque es la única forma de que, al acabarse las emociones amorosas sexuales, no se produzcan separaciones traumáticas, desgarradoras escenas y reproches, frustraciones y dolor.

Si prevalece el amor consciente en una relación de amor mágico o de simple enamoramiento y persiste cuando finaliza la atracción sexual, aunque la pareja decida separarse, el amor genuino siempre y por siempre perdurará. Un yogui indio decía acertadamente: «Al final del sexo, el amor», pero, claro, sólo si de verdad se ha amado. Cuando el «amor» no era más que el derivado de la pasión frenética, del sentimiento de enamoramiento y de la complacencia sensorial, entonces no sobrevive cuando finaliza todo lo demás. El amor instintivo se extingue como una candela, antes o después; también antes o después las sensaciones se desgastan y no despiertan la misma vivacidad sensorial, e incluso aquellas sensaciones y caricias que tanto anhelábamos un día terminan por dejarnos indiferentes o incluso molestarnos; el sentimiento romántico no se puede mantener siempre, salvo que el ser amado sólo esté en ocasiones con nosotros, viva en la distancia y le visitemos intermitentemente, pertenezca a otra persona o haya escollos insuperables para tratarlo con frecuencia, en cuyo caso ni la sensación ni el sentimiento pueden desgastarse ni agotarse por abuso y repetitividad. Si existe amor real consciente, cuando dos personas han extenuado la química el amor siempre permanecerá, y esas personas tendrán que constatar y experimentar por sí mismas si la red tejida de confidencias y complicidades, la urdimbre de vivencias compartidas, el cariño acumulado y el sentimiento de cooperación son suficientes para seguir con la relación aunque la sensación haya perdido su fuerza y la caricia su poder de encantamiento. Cada persona debe indagar su caso y tomar su propia determinación, pero, tanto si la pareja se mantiene como si se disuelve, el amor prevalecerá de por vida. Muchas parejas, aun extenuada la bioquímica o seriamente debilitada, prosiguen la relación, porque todo aquello que hallaron más allá de la satisfacción sexual y romántica les resulta mucho más esencial que ésta; otros son los afortunados que, aunque no sigan embelesándose con el placer del tacto, éste todavía les resulta gratificante con la persona con la que mantienen la relación; otros, incluso a su pesar, sienten un instintivo rechazo a toda demostración afectivo-sensorial, y en tal caso deben proceder en consecuencia.

El amor consciente no depende de que una pareja se perpetúe de por vida o no. El amor consciente está ahí se resuelva la relación en uno u otro sentido. Se trata de una actitud difícil de conquistar, claro que sí. Hay que superar toda inclinación egoísta y egocéntrica y anhelar el bienestar de la otra u otras personas. Incluso para una madre (cuyo amor es seguramente el más puro o libre de contaminaciones) no es sencillo el amor consciente, porque éste se empeña en que la persona amada logre su evolución y madurez a pesar de que su conducta no encaje con nuestros patrones, de que podamos perder su presencia o cercanía cuando madure o de que siga derroteros que no nos resulten especialmente simpáticos o atractivos. Pero, en el amor consciente, la otra persona, su vida y sus inclinaciones cuentan. No es así en el amor mecánico, y cuando menos en el enamoramiento sin amor, donde el enamorado quiere su satisfacción a todo coste, incluso no viendo o no queriendo ver las necesidades anímicas o cotidianas del amado.

El amor consciente es el amor a la luz del entendimiento clarificado, la comprensión, la buena voluntad y la sensibilidad. Requiere básicamente sensibilidad y la capacidad de apreciar al ser amado, compadecerse por su dolor y celebrar su calidad de criatura sintiente. Un ser humano tiene un valor extraordinario, pero muchos no saben apreciarlo, como el mal jardinero que no sabe atender las orquídeas. Hay un cuento indio muy significativo y que no nos resistimos a narrarlo. Un discípulo fue a visitar a su maestro y le preguntó:

—Maestro, ¿qué valor tiene ciertamente un ser humano?

El maestro cogió de una bolsita un diamante y se lo entregó al discípulo, diciéndole:

—Quiero que vayas al mercado y que distintos comerciantes te ofrezcan un precio por este diamante, aunque no debes venderlo.

El discípulo visitó en primer lugar una frutería. Enseñó la piedra preciosa y preguntó cuánto le darían por ella. El frutero repuso:

—Podría darte hasta dos kilos de naranjas.

Después el discípulo preguntó a un vendedor de patatas, que dijo:

—Podría ofrecerte hasta cuatro kilos de patatas.

El discípulo decidió entonces visitar a un joyero, quien ofreció hasta mil rupias. Continuó visitando joyeros y cada uno de ellos estaba dispuesto a darle un poco más por el diamante. Al final uno de los joyeros, el mejor de la localidad, examinó detenidamente el diamante y dijo:

—Mi buen amigo, tú no puedes vender este diamante. Es tan fabuloso que no tiene precio.

El discípulo regresó junto al maestro y le puso al corriente de sus gestiones. El maestro explicó:

—Supongo que ahora ya has encontrado respuesta a la pregunta que me hiciste. Un ser humano puede valer dos kilos de naranjas o cuatro kilos de patatas, o, por el contrario, ser inestimable. Depende de la visión del sujeto.

Cuando la visión es clara y consciente, existe amor consciente o, dicho de otra forma, incluso al amor en principio más ciego se le pone una veta de luz y, al iluminarse, se le limpia de negativas y a veces nefastas cualidades, porque de otro modo el amor es tan ciego precisamente que el que lo experimenta te puede decir hoy «daría mi vida por ti» y mañana, por lo mismo, no dudaría en quitártela. El amor mecánico, inconsciente, víctima de todos sus automatismos más compulsivos, puede ser excepcionalmente destructivo. Ahí están el dictador que dice amar a su pueblo por encima de todo y le somete a denigración y esclavitud sin límites; la madre que en su ciego amor por el hijo le manipula, presiona, domina e impone todos sus criterios, debilitándole, neurotizándole y aun amargando su existencia; el enloquecido amante que, borracho de pasión, se deja dominar por el dragón de los celos y maltrata, golpea o mata a la que dice amar; el fanático religioso que por su «amor» a Dios prende la hoguera de los infieles, o el militar que por su «amor» a la patria no duda en poner grilletes o ajusticiar. Un «amor» sin conciencia puede ser un veneno, porque sólo sirve al ego, lo apuntala, lo gratifica. Si el amor resulta desolador, se torna amenaza, se impone, exige y degrada, ¿puede ser amor? Fue un gran hombre, Narada Thera, abad de un monasterio budista de Sri Lanka, quien me dijo que nada hay tan importante como la inteligencia clara, porque de ella deviene el amor genuino. Y el amor consciente es el amor a la luz de la inteligencia primordial, de la sabiduría, de la conciencia despierta. Un amor tal es siempre inocente, porque por su propio elixir de amor no se deja limitar por viejas heridas ni reacciones autodefensivas. Es un amor creativo y no procreativo (porque cualquiera o casi cualquiera puede procrear en el planeta Tierra, pero muy pocos amar de verdad), no se pierde en las apariencias ni en lo superficial, es cuidadoso y tierno, intuitivo para percatarse de necesidades ajenas y esforzado para poder atenderlas. Sólo algunos llegarán a amar así, pero al menos hay que seguir la senda del amor consciente para completar la propia evolución y la de los demás.

Cuando uno emprende la vía del amor consciente hay que asumir los propios fallos y responsabilidades y no dejarse confundir por la densa y descomunal urdimbre de autoengaños que hemos fabricado; no hay que arrogarse cualidades de las que se carece ni utilizar paños calientes, parches y embustes; no hay que servirse de reafirmaciones ni ansiar de manera narcisista la aprobación y la consideración; hay que ejercitarse en dar y transmitir benevolencia y afecto; es necesario considerar a la otra persona con todo su peso específico y valorar su humanidad, en lugar de convertirla en objeto para el propio placer o satisfacción física o anímica; hay que respetar, comprender, cooperar y no dejarse dominar por conceptos, ñoños estados de ánimo, amor propio o soberbia. Si uno ama conscientemente, también es fácil que a uno lo amen conscientemente. Si no exiges, menos te exigirán; si respetas, más te respetarán. En el amor consciente intervienen la mente y el corazón, pero no las ideas separadoras, sino la visión clara y ecuánime.

El amor consciente debe ser aplicado al amor pasional, al enamoramiento, al amor sexual y al mágico; es decir, hay que aplicar la lucidez y la conciencia a todos los tipos de amor, y así no sólo los potenciaremos, enriqueceremos e intensificaremos, sino que prevendremos sus calamidades y miserias, nos despojaremos de elementos negativos, del afán de posesividad, avidez y celos; podremos sacar lo mejor de los distintos tipos de amor sin alimentar lo peor. La conciencia jamás va en detrimento de la intensidad, todo lo contrario, pues al prevenir la mecanicidad y los automatismos más primarios protege contra el poder destructor de las pasiones totalmente ciegas y ayuda a valorar en la otra persona todos esos otros aspectos de su ser que no son sólo los que provocan sensaciones o alteraciones agradables en el sistema nervioso. Puede haber amor pasional, sexual y mágico a la luz de la conciencia, pero a esa luz no puede haber estupidez supina, reacciones anómalas y esquizoides, sospechas paranoides ni manipulaciones de ningún orden. El amante consciente comprende y sabe; aprende a ver el proceso y a saber que la química asciende y desciende (y por lo general no a igual ritmo en uno u otro amante, es decir, uno siempre queda enamorado y otro penetra en desamor), que la pasión en su culmen es insostenible, que la persona que tenemos al lado no es tan sólo una máquina para procurarnos placer, que en todo encuentro puede estar ya la simiente o el germen de la separación, que el enamoramiento sin amor tiene corta vida y la relación sexual, si no se asocia al amor, vacía, desvitaliza y hasta causa tedio. El amante consciente sabe más, mucho más: sabe que, cuando una relación deja de funcionar a un nivel, hay que pasarla a otro, con la pantalla firme del amor como soporte; que en la relación amorosa, si la otra persona se desenamora de nada sirve presionar, inspirar lástima o manipular, y que si, en lugar de usar el pensamiento (para automortificarse, pensar en los «pudo ser» o «debería haber sido», autoculpabilizarse o resentirse, detestar o alimentar afán revanchista), abre el corazón y fluye, sufre lúcidamente y acepta el hecho al desnudo, sin alimentar odios, sino amando, entonces no hay grave enfermedad o mal de amor: hay crecimiento y no autodegradación, hay renuncia pero no desesperanza. El amante consciente sabe, además, que el amor es mucho más que el enamoramiento y que cuando este último se esfuma, si hay amor, persiste; que el enamoramiento sin amor estrecha la conciencia, genera celos y obsesiones, impone una neurótica demanda de seguridad, limita el entendimiento en lugar de acrecentarlo. También el amante consciente comprende que la persona amada es muy importante, pero que no por eso deben dejarlo de ser las restantes; que el enamoramiento no debe ser excluyente ni exclusivo, angostante y angustiante, sino que es una fuerza que, bien incorporada, ayuda a encarar empresas nobles y laudables, abre y comunica; que el enamoramiento sin conocimiento y clara comprensión es un trance que no abre dimensiones nuevas, sino un estado, sí, de embelesamiento e identificación mecánica que, cuando la bioquímica finaliza, puede volverse contra el amante y el amado; que enamorarse es pasivo y automático, pero amar es un acto de madurez y actividad emocional, y que el enamoramiento puede significar una utilización del otro para el disfrute, pero el amor conlleva un sentimiento de unión profunda, desde la propia libertad, sin grotescas simbiosis o dependencias; que toda obsesión, aun la amorosa, es negativa, o incluso peor que otras, y que la magia del amor debe tomarse como trampolín de expansión y no de enquistamiento, zozobra y temor.

Cuando el enamoramiento es tocado por la conciencia y se acompaña de amor, si un día se desvanece, la persona no podrá sentirse como si hubiera estado bajo los efectos de un holograma, engañada, e incluso sintiendo desprecio por la persona de la que estaba enamorada y preguntándose cómo ha podido llegar a estar con ella. Porque, por muy intenso que sea el enamoramiento y por muy subliminales, ciegos, inconscientes y sutiles que sean sus mecanismos primarios y los códigos biológicos, si el amor consciente acompaña a ese enamoramiento la persona no se hallará tan sometida y zarandeada por tales mecanismos y códigos ni se prestará al juego que éstos gustan de imponer (el paso adelante y el paso atrás, el engaño y la falacia, el afán de dominio, el anhelo de reafirmación y otros), ni quedará tan absorta que viva de espaldas al resto del mundo y se torne excepcionalmente egoísta de su propio disfrute.

El enamoramiento sin conciencia puede conllevar miseria y malestar, incluso separar más que aproximar, confundir y no esclarecer, ser perverso en lugar de benevolente. Tales peligros y otros pueden surgir del enamoramiento ciego, sólo conducido por el frenesí, el embelesamiento, la más imperiosa necesidad amatoria y la compulsión romántica, pero no guiado por un verdadero anhelo de cooperación recíproca. Tanto puede uno enamorarse de otra persona que ésta, como tal, pase a segundo plano o incluso no exista con su propio peso específico. Tanto puede uno enamorarse que si la otra persona no responde a las expectativas de uno, uno sienta un enorme resentimiento y odio, aunque esté diariamente haciendo el amor de cuerpo (que no de alma) con el objeto de amor. Esa actitud es básicamente reduccionista e involutiva e impide la comunicación (y comunión) de todos los lados del ser de una persona con todos los lados del ser de la otra. Los maestros de la India dicen que tenemos siete cuerpos o envolturas (física, energética, mental, emocional, etc.), y que cuando existe amor todas las envolturas se aman e interrelacionan. Pero en el enamoramiento sin amor sólo la envoltura física, o como máximo también la energética, se interrelacionan, y cuando el enamoramiento cesa, ¿qué tipo de relación puede quedar? El que ama conscientemente da la bienvenida a la biología, pero también halla la suprabiología, y si la primera cesa de fascinar y ejercer toda su gratificación, la segunda es mucho más firme y permanente. Puede disolverse el entusiasmo químico y romántico, pero, si se ama a la persona y sus cualidades, bondades y debilidades, ese amor permanece. Y al amar a la persona como tal, y no sólo al universo de sensaciones arrobadoras que nos proporciona, la conciencia no se estrecha, sino que se ensancha, por lo que amamos más a todos los seres y sentimos una energía poderosa que puede ser aplicada en todas las direcciones.

En el enamoramiento arrogamos a la persona que nos enamora cualidades tanto positivas como negativas de las que carece; efectuamos toda clase de proyecciones y hologramas. En el amor somos más precisos. Amamos sin necesidad de investir a la persona de cualidades ilusorias, porque la amamos por ella misma y no sólo porque sea fuente de alteraciones agradables del sistema nervioso y de deliciosos juegos de prestidigitación para la mente. Es por ello que el enamoramiento es enajenación, en tanto que el amor es integración; el enamoramiento puede alienar, mientras que el amor (y cuanto más consciente sea, mejor) armoniza interiormente. El enamoramiento es obsesivo, pero el amor es un bálsamo emocional. Habría, pues, que discernir entre deseo y amor, lo que no quiere decir que ambos no puedan cabalgar juntos, aunque, por supuesto, puede haber mucho deseo y ningún amor, o todo el amor del mundo y ningún deseo.

Lo cierto es que hasta tal punto la biología nos toma y nos vive que en la gran mayoría de las personas, llegado el momento de sopesar un platillo de la balanza poniendo en él sensaciones químicas (y esa fascinación hipnótica que representan) y en el otro afecto, cariño, confianza, lealtad y cooperación (conquistadas estas cualidades a base de años de relación), suele ganar el primero de ellos; esto puede resultar inexplicable, asombroso e insoportable para el individuo descartado, que, al no poder asumir lo que sucede (salvo que esté adiestrado en el amor consciente), elucubra toda clase de posibilidades, hasta la de que alguien ha hechizado a la persona amada o que incluso ésta lo ama pero no se da cuenta de ello. El amante consciente, por el contrario, ve el hecho tal cual es, comprende y asume, vive su duelo amoroso particular y renace con renovada energía, sin heridas ni autodefensas, en apertura, sin atrincheramientos. El amante obsesivo puede desplomarse en un calamitoso estado, en toda suerte de actitudes grotescas, autolástima, engaños (como el de que la persona amada es insustituible y no hay otra como ella) o en una alternancia acrobática de afectos y odios entremezclados.

Nada puede ser tan engañoso y aun ilusorio como la pasión. Si, por mucho que la adornemos con etiquetas románticas y líricas, sólo es biología, y no apreciamos a la persona como tal, cuando la bioquímica se funda como un copo de nieve en un amanecer soleado no quedará, en el mejor de los casos, nada. Pero, mientras uno experimenta la pasión, el delirio sensorial es soberbio y prodigioso, y por ello mismo a menudo encadenante. Claro que el menor riesgo se halla en la sexualidad sin enamoramiento y sin amor, pero esa sexualidad termina siendo tan hueca, vana, poco sensorial e insatisfactoria que muchas personas la practican, y con fruición, no sólo porque alivia la tensión sexual, sino porque ese compulsivo coleccionismo de contactos sexuales cumple funciones psicológicas, parcheando y amortiguando (y, por supuesto, enmascarando) la insatisfacción neurótica, el exacerbado sentimiento de soledad y la necesidad de autorreafirmación, de cubrir carencias afectivas, de jugar al escondite con uno mismo, de apuntalar la propia masculinidad, de cultivar de manera mecánica un hábito sexual igualmente mecánico o, en suma, de escapar. En estos casos lo que menos importa es el objeto amoroso, con tal de que proporcione ciertas satisfacciones sexuales, sin sopesarse la calidad psíquica de la persona ni interesarse uno lo más mínimo por sus inquietudes, necesidades e inclinaciones. Este tipo de sexualidad sin enamoramiento ni amor está en las antípodas del amor consciente, aunque podría tratar de concienciarse lúcidamente para ver y descubrir qué funciones psicológicas juega y qué están encubriendo.

Siempre se ha dicho que el enamoramiento es un misterio, pero esto no es más que un tópico o una manera de expresarse, porque el enamoramiento sin amor consciente es practicado desde hace millones de años por todas las criaturas. No es una actitud activa, sino mecánica y automática, regida por los códigos evolutivos de la especie. El gran misterio, y el más hermoso, es el amor, no el enamoramiento, y menos la mera atracción sexual. El enamoramiento posee una gran fuerza, y sólo en eso resulta mistérico. Nos arrolla, toma y deja cuando quiere, aliena y conturba. La sexualidad amorosa y plena, a diferencia de la sexualidad hueca y banal, tiene un gran poder de fascinación, encanto y embelesamiento. Cuando menos, es excepcionalmente estimulante. Pero en el amor consciente aprendemos a amar a la persona no sólo por sus habilidades eróticas o hasta circenses (que bienvenidas puedan ser), sino por sus cualidades humanas. El entusiasmo erótico es fugaz, a veces muy fugaz; el amor desde el alma y para el alma jamás se seca, aunque todo erotismo cese.

La inclinación que se experimenta hacia otra persona, porque nos atraiga de ella cualquiera de sus aspectos (que, por tanto, queremos disfrutar y recrear), se torna soporte de conciencia en el amor consciente, lo que permite poner ya la atención pura y sin prejuicios ni interpretaciones al servicio de la relación.

Muchas veces, los primeros momentos de una relación van a resultar determinantes para ésta, o al menos nos pueden proporcionar un golpe de luz acerca del modo en que va a devenir. La sintonización o desintonización que surge entre las personas al primer encuentro, la empatía, indiferencia o antipatía resultan muy íntimas o cercanas, como si más las reconociéramos que las conociéramos por primera vez; hay personas, en cambio, que siempre nos resultan lejanas. Con otras podemos estar relajados y fluidos en seguida, y con otras no lo conseguimos nunca aunque las tratemos mucho y les tengamos gran afecto. El intercambio de energías es tan sutil y mistérico que no es fácil de columbrar con la razón o la percepción ordinaria. Cuando nos sentimos muy atraídos al instante hacia una persona (no sólo a nivel amoroso, sino de amistad o simple relación), es difícil decir qué mecanismos se están disparando y qué fuerzas subliminales nos impulsan hacia ella; téngase en cuenta que, aunque decimos que el objeto amoroso o amistoso nos atrae, en realidad es una fuerza propia e interna la que nos impulsa hacia él, pues si la atracción estuviera en la persona que despierta nuestra atracción, atraería a todo el mundo por igual. También es frecuente, lamentablemente, el caso de personas que nos despiertan una repentina antipatía o rechazo aunque, superadas nuestras resistencias, podemos comprobar que son encantadoras. Utilizando la conciencia clara, que se pone así al servicio del amor y la relación, podemos descubrir mecanismos internos que nos pasan desapercibidos y resultar más abiertos, descontraídos y, sobre todo, ecuánimes.

El amor consciente nunca se desvitaliza y, por tanto, no agoniza y no muere. Por circunstancias vitales, el amante puede tener que estar separado o separarse de la persona amada, pero aun la distancia impuesta no termina con el amor. El sentimiento amoroso y profundo anhela que la persona amada esté bien, sea feliz y no tenga sufrimiento; persiste, y la persona que ama, aun desde la distancia, vela por el bienestar de la amada. Existe un vínculo de cariño indestructible y una incesante corriente de amor. Un genuino amor tal (sea hacia el amante, los padres o los amigos) es transespecial y transpersonal, y se torna como un aroma que no cesa y que, apacible, pero permanente, acaricia el corazón del que ama. Cuesta creer que el amor que se extingue fuera un día auténtico amor; desde luego, amor consciente no era.

En el amor consciente (y éste es un logro muy elevado) hay que aprender a amar a la otra persona por ella misma, y no porque la persona amada tapone nuestros huecos de soledad, nos divierta o embelese, nos considere y afirme o nos proporcione ayuda, consuelo y emociones. Todo esto está muy bien, ciertamente, pero el amor consciente va más allá y, aunque la persona amada nada de eso nos proporcionase, seguiríamos queriéndola.

El amor consciente tiene su código, su vía, su logro. Puede aplicarse a todas las manifestaciones amorosas, sean sexual-afectivas, fraternales o paterno-filiales, amistosas, mágicas o místicas. Es amor con plena perceptividad, sabiduría y discernimiento. De este modo el amor se libra de elementos que son todo menos amorosos, se nutre por el amor mismo, jamás se impone y permite acceder a una dimensión de claridad donde los egos no tienen cabida. Para amar así se requiere un trabajo de autodesarrollo, pero, como dice el antiguo adagio: «Los dioses aman conscientemente, y el que ama conscientemente se convierte en un dios».

3

EL
Amor
MÁGICO

El amor mágico es la instrumentalización iniciática del amor y de todas sus energías, incluidas las sexuales. Es amor mágico por dos razones: por su enorme intensidad y porque se pone al servicio del despertar de las energías internas y de la búsqueda de otros planos de conciencia-existencia. Es un amor que se alimenta, potencia, recrea y cultiva para que no pierda su descomunal capacidad pasional, que se utiliza como fuerza nuclear para mantener entonado el ánimo, sentirse revitalizado y proporcionarle a la emoción un toque de infinitud. Así como el amor cotidiano, por intenso que resulte en un principio, termina enrutinándose y perdiendo intensidad precisamente por el inevitable desgaste de la cotidianidad y por la capacidad embotadora del hábito y la diseminación de energías en cuestiones de la vida diaria y común, el amor mágico, en cambio, se sitúa más allá de lo cotidiano y se insufla con nueva atención, interés y energía sin cesar. Es mágico porque, por supuesto, no es corriente, común ni ordinario; es mágico porque despierta una magia e invita a sentimientos supracotidianos, mistéricos e inefables; es mágico porque trasciende el plano de la cotidianidad y se instala en un estadio de emoción profunda, intensidad sentimental y efervescente pasión erótica. La persona amada se torna así la diana de todas las energías y emociones y, también, su potenciadora, piedra filosofal para la transmutación alquímica interior, pasaje hacia los misterios de una pasión abrasadora. El amante se siente invadido por una nube de enamoramiento, energía, pasión y erotismo; también desbordado por sentimientos románticos, sutiles, inmensurables.

Un amor así fascina, imanta, embriaga y puede llegar a encadenar y perturbar gravemente. La intensidad puede llegar a tal grado que el que la experimenta ni siquiera es capaz de determinar si resulta placentera o dolorosa del mismo modo que es difícil definir si el hielo, al ser mantenido en la mano, refresca o quema. Resulta un amor enervante, que toca todas las fibras mentales, emocionales, sentimentales y eróticas del que así ama. Se trata de un amor que se experimenta como eterno, perdurable, inquebrantable y siempre más allá del tiempo y el espacio, un amor que puede liberar o electrocutar, abrir horizontes espléndidos o desequilibrar. El amante siente a la persona amada como su pasión predestinada, su complementario inexorable, su alfa y omega, su consorte vital, su compañera inseparable. Una pasión semejante conduce a la plenitud o a la servidumbre, a la completitud o a la vaciedad. Puede no sólo confundir, sino alienar y desbaratar la psicología del que lo experimenta. Precisamente por la intensidad que asume puede utilizarse todo ese poder hacia la búsqueda de la Unión, cosmizándose la persona toda, pero más fácil puede ser precipitarse en la sima de la desorientación y la amargura. Resulta una pasión tan especial que, por su energía expansiva, quiebra los parámetros ordinarios de la mente y proporciona a las sensaciones, sutiles y burdas, una capacidad receptiva extraordinaria. Salvo que uno mantenga la consciencia muy clara, una pasión así crea avidez, apego, obsesión y dependencia. Un amor de este tipo ensombrece cualquier otro que haya podido tenerse. Puede resultar *leitmotiv* y motivación poderosa para el autodesarrollo y la búsqueda, pero también puede enajenar la mente, robar todas las energías y debilitar al que lo experimenta. Admite todas las emociones: zozobra, ansiedad, tribulación, contradicción, contento y descontento, plenitud, temor, euforia, tristeza y tantas otras.

Si uno no se maneja bien con este tipo de amor-pasión puede pagar un diezmo demasiado elevado por la experiencia. El erotismo que genera puede ser utilizado para el desarrollo, pero también para la involución y la regresión anímica. La sexualidad vigorosa y mágica que genera puede instrumentalizarse mística y tántricamente para abrirse a la naturaleza y todo el universo, o fundir de tal manera el entendimiento que la persona entre en un estado de necedad y embotamiento. Colabora en la mutación interna, si se aplica correctamente a tal fin, y proporciona energías extras muy valiosas, pero también puede detener todo proceso de evolución. Por su naturaleza, puede aprovecharse para la apertura interior y el despertar de las potencias energéticas y psíquicas, superando las limitaciones de la conciencia y la percepción, o desbordarnos y empañar todo discernimiento durante meses o años. Para que esta intensidad amorosa sea fecunda (no para engendrar al hijo de la carne, sino al del espíritu) y no desertizante, hay que saber canalizarla y viajar sobre ella, no que ella viaje sobre nosotros.

Toda la libido se remueve (a veces en el mismísimo instante de hallar a la persona que sentimos como nuestra y la que estábamos quizá buscando hace mucho) y crea todo tipo de vivencias, desde las más sutiles, amorosas y románticas a las más descarnadamente impúdicas, lúbricas y eróticas. Esta conexión mágico-amorosa que brota entre dos personas, que representa un vínculo energético muy fuerte y donde se ponen en marcha energías biológicas y químicas muy nucleares, impulsa al hombre a buscar a su compañera (despertando así la mujer interna y complementándose) y a la mujer a hallar a su compañero (encontrando así el hombre interior y también complementándose). El yin tiende al yang y el yang al yin; energía solar y lunar, masculina y femenina, se ansían, se maridan, se complementan y suplementan, hacen el viaje hacia la supraconciencia. La Shakti, energía cósmica femenina que reside en la mujer, se lanza a la búsqueda frenética de Shiva, la energía cósmica masculina que existe en todo hombre, y viceversa. En el amor cortés, la relación erótica no se lleva a cabo. En el amor tántrico o en el yoga sexual, la relación erótica se instrumenta para lograr la complementariedad perfecta y el androginato espiritual. Es, pues, método alquímico, iniciador e iniciático, demiúrgico y yóguico. Se da una ruptura en el nivel ordinario de la conciencia, para lograr la mente sin mente, la mente en su estado natural de clara conciencia luminosa donde todo habita sin tensiones. En el amor mágico, la mujer debe ser cosmizada y convertida en la mujer-absoluta; y el hombre también debe ser cosmizado y convertido en el hombre-absoluto. De este modo, el amor mágico gana en desarrollo y se torna amor absoluto, hacia todos los seres, sin diferencias, fronteras o divisiones.

Cuando hombre y mujer se aman mágicamente, una energía intensísima se genera y retroalimenta entre ellos. Se sacraliza y sacramenta el sexo; el abrazo sutil se enriquece con el abrazo físico; los cuerpos astrales hacen el amor, no sólo las envolturas carnales. Se celebra este amor en una dimensión supracotidiana, donde tiene lugar el intercambio de energías masculino-femeninas y el gran festín de los sentidos. Es el viaje del amor mágico, donde hombre y mujer son magos y alquimistas, y cuyo elixir de inmortalidad amorosa es su propia pasión. Pero la búsqueda del consorte mágico no es ni mucho menos fácil. Hay quien jamás lo halla, o quien sí lo halla, pero perteneciendo a otra persona, o con una edad excepcionalmente distante de la propia o en circunstancias que no pueden salvarse. Si uno, por otra parte, no está lo suficientemente perceptivo y despierto, puede pasar el amor mágico rozándonos el hombro sin que nos percatemos de ello, perdiendo una oportunidad de oro para despertar fluidos mágico-erótico-amorosos de excepcional intensidad.

El amante exterior constela al amante interno; al desposarnos con la persona amada nos desposamos internamente. El deseo se incorpora a la búsqueda mística; la fiebre pasional se instrumentaliza para abrir las compuertas de la energía-conocimiento. Grandes yoguis y lamas, como Marpa, dispusieron de su mujer mágica, de su consorte iniciática. La energía femenina presenta un carácter muy especial, mezcla de pragmatismo e intuición. Es difícil prescindir de ella. Sólo puede hacerlo el que se ha completado totalmente a sí mismo y ha recuperado su energía interna del otro signo. La mujer es reflejo del eterno femenino y la mística de la Diosa y es otorgadora de poder y energía. Su cuerpo es el laboratorio precioso de la alquimia amoroso-erótica-iniciática y sus genitales son el matraz donde se conserva el ungüento transformador. La experiencia erótica se sacramentaliza. El cuerpo es el templo del Divino. Las energías cósmicas que nos animan se ponen todas ellas en acción para dar el gran salto hacia otras realidades mentales. La mujer se torna maga y hechicera, saca a flote toda su capacidad chamánica, nos muestra sus resortes iniciáticos. Nos fragmenta o totaliza, vela y desvela, confunde y esclarece... El buscador debe mantener la conciencia clara... o sucumbir irremisiblemente. El riesgo siempre existe; el precipicio está cercano. Nadie puede echarse una gota de miel en el paladar sin que le sepa dulce, pero la dulzura puede volverse hiel y veneno. En el amor mágico se trata de aprovechar la potencia que genera para alcanzar el signo de lo transpersonal. Si es acompañado de sexualidad, ésta también debe ser o devenir transpersonal. Se produce una reafirmación del cuerpo y de todas sus energías, instintos y pasiones, para lograr un descondicionamiento y una desrepresión que liberen potenciales aletargados. El amor mágico le imprime un sentido mistérico a la existencia. Se da una renovación de ánimo y energías y se le da la bienvenida a la naturaleza no para sucumbir a ella, sino para elevarse sobre ella apoyándose en ella misma.

En la búsqueda del amor profundo muchos seres humanos ansían el complementario que los ayude a derretir los hielos del alma y les proporcione una energía mistérica y elevadora. Sólo entonces dejan de sentirse náufragos y experimentan la pasión fluyendo por sus venas. Descubren una realidad que por sí misma no se extingue y comprenden, si el amor mágico se produce, que los otros amores eran pálidos y mediocres experiencias comparadas con las que aquél origina. Cuando la persona ensoñada, ansiada y hasta presentida surge, con su cariño se entibia la gelidez de la soledad humana. La persona hallada se convierte en embriagador hechizo, vibrante evocación, fuente de fantasías amorosas. Sigilosamente se desliza por el cuerpo energético del amante y se instala en cada uno de sus átomos. La pasión que se desencadena puede ser inmensa, obsesiva, desenfrenada. Los amantes, urgidos por la carne y el espíritu, anhelan la unión y, exaltados por sus ensoñaciones y sentimientos, se entregan a un abrazo carnal que debe ser correspondido por un abrazo en el astral. Demorándose voluptuosamente en la caricia y en la cópula, pueden emprender el trayecto de la sexualidad iniciática. Se origina un reconocimiento de célula a célula y se navega sobre una pasión irrefrenable, pero que el amante iniciático tiene que hacer consciente. Se descifran misterios de amor incognoscibles y un amante encarna en el otro y viceversa. Se tornan compañeros en la ascensión espiritual, viajeros hacia regiones reveladoras. Se favorece una alquimia que comporta la carne en el espíritu y el espíritu en la carne, y se percibe así la propia esencia nuclear. Es como si el tiempo, en un momento dado, se detuviera, y el espacio se disolviese. Se crea una atmósfera de caricias y misterios, susurros amorosos y encuentros, homologando el cósmico maridaje de energías. Hombre y mujer son peregrinos en el viaje astral. Se celebra el encuentro más allá del encuentro. La mujer se torna para el amante la frenética danza de los sentidos, el vértigo de lo sensorial, el abismo de la pasión. En tales momentos es como si los amantes viniesen de siglos atrás, tal vez de milenios, hallándose y perdiéndose, compartiendo noches de pasión abrasadora, persiguiendo un aroma de eternidad y presintiendo uno la presencia mágica del otro. La mujer es para el amante el hada blanca que siempre mora en el centro de energía de la garganta, la gran invitada en el santuario del corazón, la faz que constela todas las faces del universo y de la Diosa. Los amantes, que eran como vagabundos dejándose guiar y extraviar por intuiciones arquetípicas que dormitaban en el trasfondo de sus mentes, se encuentran por fin. Tal vez sea en deshora o en malhora; quizá sea para perderse para siempre, pero la pasión se desata exaltada e irrefrenable, frenética y extática. Es una experiencia inexpresable. Como dice Omar Khayyam: «¡Cuán pobre el corazón que no sabe amar, que no puede embriagarse de amor! Si no amas, ¿cómo te explicas la luz enceguecedora del Sol y la más leve claridad que trae la Luna?».

Pero el mismo amor mágico que puede ayudar a crecer interiormente es capaz también destruir y autodestruir. Podemos aproximarnos al origen primordial o distanciarnos de él, perdiéndonos en el apego, la confusión y la tristeza. La unión no tiene que ser sólo externa, sino dentro de uno mismo. Se entabla una aproximación dual para alcanzar la unidad. El gran orgasmo no es físico, es la conjunción de los contrarios dentro de uno, la boda alquímica de yin-yang que nos permite hallar el hijo espiritual. Entonces lo microcósmico retorna a su origen macrocósmico. Ése es el androginato que han buscado con el amor tántrico muchas culturas y tradiciones, casi siempre al margen de la estrecha y asfixiante ortodoxia y, por supuesto, de las anquilosadas iglesias y religiones constituidas. El aprovechamiento de los fluidos poderosos que se desprenden del amor mágico ha sido buscado por muchas corrientes de amor iniciático en todos los países, tanto en Oriente como en Occidente. Encontramos esa corriente de amor mágico en el Tíbet, la India, China y Nepal, así como en el chamanismo oriental, los persas y los árabes, el gnosticismo y los templarios, los caballeros andantes y los trovadores medievales. Siempre ha habido corrientes de amor mágico y sexualidad sagrada, muy diferente esta última a la sexualidad común. Pero entiéndase que la sexualidad colectiva y el erotismo orgiástico, así como muchas celebraciones dionisiacas, eran más bien un desenfreno automático y compulsivo de los instintos, y no asambleas realmente destinadas a propiciar lo mejor del amor mágico y la sexualidad sagrada.

El rito requiere cierta intimidad y una disponibilidad especial. Es para algunos, pero no para todos. Cuando es para todos se torna cotidiano y ordinario. La sexualidad colectiva y orgiástica jamás es verdadero tantra, y mucho menos amor mágico e iniciático, y se sitúa precisamente en las antípodas del amor mistérico y la erótica mística. La sexualidad sagrada requiere una ardua preparación y una especialísima disponibilidad. Del mismo modo que los seres humanos han dispuesto de métodos inductores al trance místico, como las danzas y músicas sacras, determinados rituales, la utilización de diagramas místicos y mandalas, ceremonias místicas, el yoga, la meditación y tantos otros procedimientos psicomentales, la sexualidad sagrada se instrumentaliza como medio para lograr una supresión temporal de las ideas en la mente, obtener el vaciamiento interior y provocar un miniéxtasis que reporte dicha y un sentido de integración profunda. El vaciamiento logrado por una cópula prolongada y sensitiva dispone la mente para captar realidades más allá de lo conceptual. Es un intento de expandirse, pero a la vez de desposarse interiormente, pues sin la boda alquímica no existe razón para la sexualidad sagrada, y la consorte arquetípica es la gran Diosa para conducirnos a lo nouménico a través de lo fenoménico. Pero muchos se quedan en lo fenoménico, y entonces, en lugar de superarse el apego, se potencia, y en lugar de conectarse uno con lo más real de sí mismo, se extravía en el fuego de la pasión mágica (que podría purificar a la persona, quemar sus escorias), corriendo el riesgo de potenciar su estupidez, infantilismo, tendencias regresivas, aferramiento y egocentrismo. Entonces el viaje del amor mágico habrá sido hacia el sinsentido, cuando la vida del buscador representa todo un peregrinar hacia el Gran Sentido. La magia de la pasión crea o destruye. Requiere una intensidad que a veces no puede proporcionárnosla el hombre o la mujer que tratamos cotidianamente, por mucho que lo queramos. Si la fiesta amoroso-mágica se enquista y no trasciende a la pareja misma, generando una perniciosa simbiosis, entonces el intento del salto supracotidiano ha fallado. El amor mágico debe conducir al amor absoluto. Lo ponemos en marcha para ganarnos a nosotros mismos y no para perdernos. Celebramos la energía cósmica y nos dejamos celebrar por ella, pero para alumbrar al hijo del espíritu, el conocimiento, la esencia transpersonal. En el amor mágico, la pasión, el erotismo, los sentimientos románticos, las sensaciones, la intensidad amorosa se convierten en magia, mapa iniciático, clave de trascendencia. El acto sexual se reviste de un carácter sacramental e iniciático, y la sexualidad mágica refrena los condicionamientos mentales y abre vías hacia otros modos de captación.

La magia pasional, con su impresionante carga de energías, es la ganzúa para abrir una estancia saturada de singulares experiencias sentimentales y anímicas. Mujer y hombre son compañeros en el viaje amoroso mágico a través de una urdimbre de ilusiones que pueden velar o revelar, confundir o potenciar, siempre según la actitud de los amantes mágicos y sus proclividades temperamentales. La mujer se torna hechicera y sacerdotisa; es la hermosa, sugerente, apasionada y sagaz Reina de Saba, aquella que va a complementar al hombre y proyectarlo hacia ignotas regiones de fantasía amorosa, pero que también puede hacerle zozobrar y conocer el universo amargo de la inseguridad, los celos, la vehemencia insatisfecha y la desorientación atroz.

La relación carnal que se celebra insuflada por el amor mágico adquiere tintes de embriaguez desconocidos para el intercambio carnal común. El abrazo físico se está reproduciendo también en el plano astral como abrazo sutil; las energías amorosas circulan entre los cuerpos de los amantes, fluyendo con pasión renovada; la cópula es vehículo hacia una implosión amorosa que, por su impacto, vacía la mente y le permite conocer el bendito poder del silencio. Es la ascensión hacia una dimensión de lo cósmico, pero también puede ser la caída hacia la red aprisionante de los apegos y limitaciones. Depende de cómo se utilice esa desenfrenada voluptuosidad y de si se puede poner al servicio del crecimiento interno, más allá de personalismos y apegos. La boda interior sólo tendrá lugar si el amante mágico se halla lo suficientemente evolucionado para merecerla. El viaje amoroso-mágico-cósmico puede quedar en una mera relación cotidiana si no se produce la apertura necesaria. El prodigio mágico-amoroso es para establecer a los amantes en su naturaleza original (proporcionándoles un toque de libertad e infinitud) y no para enredarlos en el universo distorsionante de las apariencias.

La sexualidad «tantrizada» se incorpora a la búsqueda de lo Inefable. Es un rito iniciático para pasar a la otra orilla del océano de lo cotidiano y colaborar en la conquista interior. El amor mágico es senda hacia el amor absoluto, pues de otro modo sólo produce intensas emociones y sentimientos que, no incorporados a la búsqueda, encadenan más que liberan. No se trata de hallar el placer por el placer mismo, sino que el goce que procura el amante mágico es medio para encontrar el gozo interno y místico. Se arroja uno en los brazos de la Shakti para que ella, la gran hechicera que crea todas las apariencias, nos conduzca más allá de lo fenoménico. El hombre (al igual que la mujer) ansía hallar su doble energético-espiritual para potenciar sus fuerzas creativas, desorganizarse a través de la envolvente y abrasadora energía de la pasión y reorganizarse a un nivel mucho más elevado. Es ese instinto básico que nos impulsa a rastrear sin descanso hasta hallar la Unidad; es la vuelta al Origen; y si ansiamos, aun sin concienciarlo, una persona especial y espacial que se convierta en compañera del viaje vital y místico, es porque nuestros más profundos arquetipos nos guían, o tratan de hacerlo, hacia la matriz cósmica o el Uno-sin-dos. El cuerpo es la energía más densa y se incorpora también al viaje del retorno, con todas sus pasiones, sensibilidades eróticas y afanes de voluptuosidad. Se reafirma la naturaleza para ir más allá de ella.

La búsqueda del complementario es más que un mito; es, para muchas personas, una urgencia, un anhelo de hallar con quien fundirse, una llamada de la carne y del espíritu a encontrar el doble con el que unirse y entrar en comunión. La mayoría de las veces esta búsqueda no se materializa. Es como una imperiosa y sutil necesidad difícil de cumplimentar. Sólo por causalidad o casualidad (o por esas coincidencias cargadas de sentido que diría Nietzsche) algunas personas hallan realmente al amante que les proporciona un viaje de amor mágico. ¿Se trata de amor predestinado? Tal vez haya, sí, conexiones kármicas de existencias anteriores. Pero ese amor mágico, mal conducido, puede tornarse amor fatal, es decir, generador de malestar profundo, miserias y tragedias. La embriaguez de los sentidos puede enceguecer de tal manera que los amantes, perdiendo todo norte, utilicen las energías para destruirse en lugar de reconstituirse. La Dama de la Clara Luz se torna entonces la Señora de la Oscura Noche y el digno y sagaz Salomón se convierte en un hombre mezquino y agresivo. No se produce el alquímico encuentro con el hombre-mujer internos, sino una cataclismal enajenación que zarandea psicológica y vitalmente a los amantes. Hay muchos episodios de amor fatal en la historia de la humanidad.

Las tradiciones iniciáticas de amor insisten en que el ser amado o complementario también puede residir en otros planos más sutiles, y ocasionalmente la persona puede entrar en comunicación con la presencia de ese ser amado, sea a través del trance, de estados acrecentados de conciencia o de los sueños. Hay quien en sueños ha visto a una persona que le ha dejado impactado y fascinado, despertando un verdadero enamoramiento en esa realidad ignota e insondable de lo onírico. Es a través de la muselina de los sueños que el hombre ha encontrado a su Shakti o Dakini (energía femenina e iniciática). Al despertar, queda un aroma de trascendencia en el alma, y de cierta tristeza por no poder hallar en carne y hueso a la amante del sueño.

El amor mágico no debe tener necesariamente, ni mucho menos, una correspondencia sexual. En el mismo tantra (la primera corriente mágico-amorosa-iniciática del mundo) ya se hace referencia al tantra seco (amor mágico sin cópula) y al tantra húmedo (con relación erótico-mística). El amor mágico puede mantenerse en la dimensión de la sensibilidad amorosa y el intercambio de ternuras y sentimientos de enamoramiento sin desembocar en la relación sexual. En tal caso el amante duplica sus energías, halla un medio iniciático para ennoblecer sus sentimientos e irse modificando, se sirve del amado/a para potenciar su vitalidad, renovar su entusiasmo y encarar con más vigor y ánimo la existencia cotidiana. Se obtiene un aporte extra de energía; el amor hacia la amada se torna crisol donde generar potencias para darle un nuevo sentido a la vida y arrostrarlo todo con mayor tono anímico. Se produce un poderoso intercambio de energías a nivel sutil. Sócrates, por ejemplo, dormía junto a jóvenes sin rozarlas siquiera, haciendo el amor los cuerpos astrales, pero no los físicos. En el tantra ha habido adeptos que durante meses han dormido al lado de la amada sin tocarla, encendiendo así, progresivamente, la pasión hasta sus límites. Los caballeros andantes, por su parte, amaban sin que pudieran, generalmente, acceder a los favores sexuales de la amada, pero hallaban en ella una energía soberbia que instrumentalizar para llevar a cabo sus hazañas. La amada proporciona el toque de lo cósmico y supracotidiano, otorga energía y poder, resulta emblemática y demiúrgica. Por ella se combatía sin descanso, se enfrentaba uno a increíbles peligros y a audaces caballeros en torneos, se superaban hambre y cansancio y se acopiaban energías uniendo la propia alma al alma de la amada. Es la gran pasión sin el encuentro de las envolturas carnales y sin posibilidad de desgastar las sensaciones de manera que éstas desemboquen en el hastío.

EL AMOR CORTÉS

El enamoramiento deviene fuente de inspiración artística, además de generar emociones exaltadas, añoranzas y melancolías, apasionamiento y plenitud. Las energías amorosas, además de encender el sentimiento y el eros, también inspiran al artista, le conectan con potencias creativas, le permiten intuir arquetipos transpersonales. Embargados por el sentimiento amoroso, poetas han escrito sus mejores versos, pintores han pintado sus mejores lienzos y músicos han compuesto sus más hermosas melodías. En la Edad Media, unos hombres de notable sensibilidad artística y amorosa (precursores, podríamos aventurarnos a decir, de los modernos cantautores) se inspiraban en el amor para sus trovas y, a través de ellas, lo recreaban y fomentaban. Eran los trovadores, a veces solicitados en las cortes de amor, otras viajando de aquí para allá, emocionalmente conectados con su dama, siempre renovando el ánimo en su sensibilidad amorosa. Estos hombres, como tantos otros que no eran trovadores, amaban a una mujer que muchas veces pertenecía a otro y a la que no podían acceder o, en el mejor de los casos, se aproximaban a ella y podían gozar de su presencia, pero no de sus caricias. Experimentaban una pasión encendida, pero no «desembocada» ni sexualmente satisfecha. Era el que alimentaban, y hasta custodiaban en lo más íntimo del corazón, un amor curioso y singular, una emoción amorosa muchas veces no correspondida o que ni siquiera la persona amada conocía. Era el amor cortés, necesariamente contenido, sólo a veces exprcsable, generalmente no practicable y que se proyectaba sobre la dama de otro. Se trataba, en suma, de un amor prohibido, adúltero, de corazón a corazón y sólo raramente con posibilidades de que también resultase de carne a carne. Ello no quiere decir que muchos amantes corteses no tratasen de lograr, además del abrazo sutil, el abrazo carnal con su dama (que era la dama de otro en realidad); sin embargo, difícilmente podían conseguirla en cuerpo, aunque siempre la llevaban en espíritu.

Aunque era un amor secreto, y hasta mistérico, muchas veces la dama sabía de él, y no sólo la dama, sino también su marido y los amigos de ambos. No era, pues, un amor mal visto en tanto se mantuviera en los umbrales de lo sutil, romántico, poético y espiritual. Cuanto más inaccesible era la dama, más se potenciaba la llama de amor. Muchas veces aquélla estaba casada con un hombre al que no amaba (matrimonios de conveniencia) y también anhelaba al amante cortés, pero no podían relacionarse, porque si bien había maridos que consentían el amor cortés, otros en absoluto lo permitían. En estos casos, amante y dama eran almas en pena, suspirando uno por el otro, quizá encontrándose en las fiestas de la corte, creando un fluido mágico-amoroso entre ambos y sin posibilidad de contacto físico. Si éste se producía y eran descubiertos (lo que sucedió con alguna frecuencia), el castigo para ambos era terrible. Pero ese riesgo que entrañaba un amor apasionado y no consumado, esa distancia e inaccesibilidad impuesta, ese afán amoroso no satisfecho generaban una tensión pasional impresionante, que era adoptada por el caballero andante como fuerza sublimada para el combate, y por el trovador para su inspiración artística.

El distanciamiento obligado, la sonrisa furtiva, el peligro de ser descubierto y maltratado, el roce corporal embriagador en un momento de descuido del marido, la mirada cómplice, el anhelo abrasador, todo ello dejaba transida el alma de los amantes corteses.

Como no había lugar para agotar y desgastar la sensación, eran amores que duraban de por vida. Estaban exentos del riesgo de la rutina y el hastío. Prosperaban durante años, y cada vez con más intensidad y consistencia. Pero hay que señalar que, al amparo del genuino amor cortés, surgió una moda de «amor» frívolo e insustancial que era como un juego en los ámbitos cortesanos. A diferencia del verdadero amor cortés, potenciado por el riesgo y siempre floreciendo en el ansia irrefrenable de la amada, el «amor» como juego de corte, cuajado de banalidades y chismorreos, no era más que un melifluo divertimento cortesano que, a menudo, de cortés nada tenía, pues daba lugar a toda una furtiva sexualidad de encuentros fugaces, engaños extraconyugales y picardías eróticas. El verdadero amor cortés, con la energía que otorgaba, colaboraba al ennoblecimiento del caballero, el poeta, el místico y el escudero. Se requería una disciplina férrea para mantenerse fiel a la dama sin yacer con otras mujeres, lo que suponía un tantra seco mediante el cual acopiar energías y reorientarlas hacia la creatividad, las lides caballerescas y la autoconquista. La libido, acompañada por imperiosos sentimientos románticos, iba en progresivo enardecimiento.

La mujer, en la distancia, se torna diana de atención y entrega incondicional. En una época en que la mujer estaba sometida hasta la abyección, el amor cortés la restituye en un elevado plano de consideración y admiración y le permite recobrar su carácter del ansiado y hasta adorado eterno femenino. Surge una ultrasutil relación entre la dama y el enamorado. Para las mujeres que se habían casado sin amor y tenían que soportar al energúmeno de su esposo, ese amor etéreo emitido por el amante desde la distancia constituía un bálsamo para sus heridas emocionales y también, sin duda, un motivo de esperanza y de contento. Surgía así una triangularidad a la que era ajeno, muchas veces, el marido, aunque participaba con conocimiento en otras ocasiones. El sutil adulterio no tenía consecuencias en tanto no se materializaba. Había señores que sentían lisonjado su ego sabiendo que un caballero o trovador tenía a su esposa por objeto amoroso, siempre y cuando el abrazo sutil no se tornase también carnal. Con cierta frecuencia reinaba una buena amistad entre el esposo y el amante sutil. Así, la triangularidad era una curiosa mezcla de amor y amistad, y la mujer era poseída carnalmente por su esposo pero anímica y astralmente por su amante. A menudo, el caballero o trovador tenía que pasar por toda suerte de peripecias que brindaba a su amada, enorgulleciéndose ésta por las proezas del amante sutil. Era el culto a la feminidad por la feminidad misma, sobre todo en esa época en la que se exaltaba la masculinidad bochornosamente y la mujer era una posesión más, como el palacio o los perros que lo custodiaban. El

El amor cortés, correlato occidental del amor tántrico, aportaba fuerza
y valor al caballero andante (miniatura del Museo Británico).

amante cortés, sin embargo, hace de la mujer un ideal, una mística, un vehículo de significación y trascendencia.

La atracción tan fuertemente experimentada por el amante sutil resultaba a veces fuente de una espantosa soledad, pero bruñía el carácter, entonaba el humor, se instrumentalizaba para encarar mejor las circunstancias adversas y florecer a otros niveles de conciencia. Siempre se mantenía viva la ilusión de poder ver a la dama y aun rozarla, mirarse en sus ojos hermosos y disfrutar con su sonrisa cómplice y voluptuosa, e incluso, ¿quién podría asegurar lo contrario?, tener un día la fortuna de rodearla por el talle, besarla con pasión arrebatadora y compartir con ella ternuras, intensidades pasionales y un abrazo carnal de inusitada intensidad. El amante cortés amaba por encima de todo la feminidad. La mujer se tornaba su consorte mágica y era poseída, aunque nunca se la poseyera carnalmente. Ella era la heroína. No es que no se ansiara tomarla en el aspecto carnal, sino que, al no poder acceder al festín desmesurado de los sentidos, la energía de amor se convertía en vínculo de por vida. Amores corteses que se prolongaban durante años tal vez se habrían convertido en tedio y apatía si la dama y el amante se hubieran unido y hubieran podido abocarse al universo de las sensaciones físicas. Ya se ha dicho que la primera caricia es un acontecimiento único pero la segunda es un acontecimiento repetitivo.

Los caballeros medievales eran seguramente los verdaderos artífices del amor cortés e, incluso, del amor tántrico aun sin saber de sus leyes. Idealizando a la mujer, amándola más allá de la vida y de la muerte, daban a su desmedido afecto una dirección iniciática. Ese amor les servía para arrostrar los peores peligros, reeducarse anímica y físicamente, no permitir que el ánimo se herrumbrara, cultivar sentimientos de nobleza y justicia, combatir a los perversos, superar el hambre y el cansancio, someter a los caballeros indignos y consagrar su vida a la amada, a la que brindaban sus hazañas caballerescas. Ellos no caían en los enredos frívolos del amor cortesano ni sometían a la mujer a servidumbre, sino que, por el contrario, renovaban sus energías idealizando a la dama, por la que eran capaces de morir en cualquier momento en que para ello fueran requeridos. Tomando un pañuelo de la dama como emblema para el torneo (el pañuelo era cargado con la energía de la dama y creaba un vínculo energético poderoso entre ella y el caballero), se lanzaba el caballero intrépidamente sobre su oponente. Si la dama no estaba comprometida, podía hacerse merecedor de su amor y despertar su sentida admiración. La dama constelaba la mística de lo femenino; era un símbolo amoroso y espiritual. Pero no se crea por ello que no había muchas damas licenciosas y muy ligeras, capaces de distribuir con notable generosidad sus favores sexuales. Es probable que, a veces, varios gozasen de ella, y no sería el caballero precisamente uno de los afortunados, pues tenía que partir durante meses o años a vérselas con la adversidad, contentándose entonces con estar unido a su amada sutilmente y en el escenario de la imaginación. No hay que excluir que en tanto muchos caballeros ponían en real peligro su vida y la perdían, la amada, impúdica y descarada, desinhibida y lúbrica, intercambiaba amores con unos y con otros. Pero el caballero amaba desde su peculiar dimensión de amor sutilizado, esperando con paciente impaciencia el día bendito en el que reencontrarse con la amada, evocándola y poseyéndola en mente, ensoñando una pasión sin término. En las noches de soledad inmensa, la amada le acompañaba; cuando el ánimo varonil se resquebrajaba, la amada le insuflaba su aliento; en las mañanas húmedas y frías de invierno, la amada le ofrendaba su amor desde la distancia y calentaba, si no su cuerpo, sí su corazón y su alma. Ella tal vez era la esposa de otro, pero su energía era introyectada por el caballero y le ayudaba a hallar la esposa interior.

Enamorado de Ginebra hasta lo más abismal de su ser, el caballero Lanzarote sabía que ella era la esposa de otro (y el otro era nada menos que el rey y su mejor amigo), pero la sentía como su propia esposa, su dama y su diosa. Era su fuente de inspiración en la batalla, y su recuerdo le estimulaba a enfrentarse con toda suerte de enemigos en el plano de la cotidianidad y en aquel otro, más laberíntico, del astral. Porque suple un día el abrazo sutil con el abrazo carnal y se ama físicamente con Ginebra, debe luego convertirse en ermitaño, a modo de purificación y para congraciarse con las poderosas potencias de lo Inefable. Estos grandes amantes tántricos que eran Ginebra y Lanzarote, por perder la consciencia debido a la pasión y quebrar la trayectoria iniciática de su amor, son castigados por un destino inexorable. Lanzarote no halla el Grial (la Sabiduría), y otro caballero, Perceval (el simple, el puro), le toma el relevo. El Grial es ese conocimiento supremo y energía inefable que los tántricos llaman Shakti o Kundalini y los gnósticos Gnosis. Es la sabiduría liberadora.

Un gran número de los caballeros templarios ensayaban asimismo la castidad, no forzada, sino voluntariamente. Ansiaban el androginato interior, es decir, la fusión de energías femeninas y negativas en lo interno. Se ha especulado con que el ídolo Baphomet era una imagen representativa del andrógino, como Ardhanisvara lo es en el hinduismo (se representa mitad mujer, mitad hombre). También los templarios ansiaban el maridaje interior, la boda alquímica. Se los acusó de perversos ritos sexuales, homosexualidad y contacto con jóvenes vírgenes. Llegó a tal grado su poder, incluso el económico, que tanto las instituciones civiles como las eclesiásticas se las arreglaron para extinguirlos. Se llegó a decir que entre algunos de ellos practicaban un coito anal ritual para promover las energías de los centros instintivos. De sus ritos más secretos apenas se sabe algo. Sin duda conocían, por contacto con combatientes y comerciantes extranjeros, mucho sobre iniciaciones orientales y, sobre todo, indias. Además de ser una organización monástico-militar, también lo era iniciática.

LOS FIELES DE AMOR

La poderosa energía que despiertan el amor, el romanticismo y el erotismo puede ser transferida hacia la creatividad, la expresión artística, un esfuerzo extra o la puesta en marcha de actitudes internas. Si además la persona sabe cómo hacerlo (caso del tantra, del yoga y otras técnicas de autodesarrollo), tanto mejor. La energía recuperada puede ponerse al servicio de cualquier actividad, sea ésta cotidiana, artística, social o espiritual. Esta energía puedc acopiarse mediante una temporal y bien utilizada continencia (que exige también la de la mente y las emociones para que sea tal) o mediante métodos tántricos que impidan el habitual derrame del esperma, «el jugo enervante eterno» que puede constituir un aporte extra de energía para la salud, la apertura mental y el desarrollo interior.

Aunque sigan derroteros bien distintos, poetas y místicos conectan con una longitud de onda muy similar. Unos y otros se aproximan a lo Inefable. Los primeros expresan esa inefabilidad a través de la poesía, y los segundos mediante el silencio (con su poder nuclear). Poetas y místicos penetran en un plano distinto de percepción al cotidiano. Ha habido muchos poetas místicos y muchos místicos poetas. Unos y otros viven emociones muy intensas, profundos sentimientos románticos (sea hacia el ser amado o hacia el Ser Amado), estados anímicos apasionados. Sin una exquisita sensibilidad y una capacidad desarrollada para el amor no puede haber ni un buen poeta ni un buen místico. Los poetas tienen una mente mística y los místicos una mente poética. Así ha sido siempre y en todas las latitudes. Los místicos del Zen han gustado de escribir sus breves y sugestivos poemas como lo hicieran los místicos cristianos y también los hindúes, musulmanes y parsis. El amor encendido a lo Incondicionado los llevaba a expresarse con poemas, del mismo modo que el apasionado sentimiento a la persona amada ha llevado a los grandes poetas a escribir versos sublimes e inolvidables. Éste era el caso de Dante, omniabarcantemente enamorado de Beatriz, y cuya emoción amorosa, plena y embargante no sólo recreaba su alma de poeta, sino también la de místico e iniciado. Él era uno de los Fieles de Amor, escuela iniciática que combinaba la expresión creadora y el sentimiento amoroso y se servía de este último para propiciar aquélla. Como los tántricos, disponían de su propio lenguaje oculto e intencional, a menudo sólo inteligible para los iniciados. Utilizaban con avidez ese lenguaje crepuscular y casi cifrado que para ellos tenía un sentido doble y profundo. Su poesía estaba cargada de mística, misterio y magia, y constelaba sentimientos amorosos e iniciáticos. Al amar a la mujer, amaban la Sabiduría, como los tibetanos constelan en la mujer a Tara o Prajña, la sabiduría-liberadora. Veían en la mujer a Sophia y la convertían en crisol donde se generaban sentimientos y conocimientos supracotidianos. Extrayendo toda su fuerza a la energía de la feminidad, eran capaces de crear sublimes poemas y, más aún, crearse interiormente a sí mismos. El fluido amoroso que se despertaba en sus corazones se convertía en vínculo sutil entre el amado y la amada. A menudo sublimaban la energía sexual y la ponían al servicio de la poesía y de la búsqueda interior. La figura femenina se tornaba iniciática, fuente de inspiración prodigiosa, llave para hallar la mujer interior. El enardecido amor se convertía en talismán para el ennoblecimiento interno y la perfección literaria. A la emoción amorosa y el sentimiento romántico se les daba una dirección hacia lo alto, del mismo modo que el *tantrik*, con sus técnicas y motivaciones, recupera la esencia sutil del semen y la conduce hacia los más elevados centros-energía.

El amor profano da paso al amor iniciático, es decir, aquel que se instrumenta para poder acceder a otros conocimientos, potencias y signos. La feminidad se sacraliza y la sexualidad (contenida o no) adquiere un carácter iniciático. Obviamente, las religiones judeocristianas oficiales siempre han mantenido la actitud más radicalmente opuesta a esta sexualidad: condenando toda expresión amorosa, advirtiendo de la necesidad de copular para procrear, reprimiendo la libre manifestación amorosa, insistiendo traumáticamente en los pecados de la carne, imponiendo una rigurosa austeridad sexual y negando con fanatismo los disfrutes de la corporeidad. Para los Fieles de Amor, por el contrario, la mujer no es una perversa, tentadora, sino el fluido amoroso-mágico que pone peldaños para ascender a la cima de la poesía y la creatividad y que permite, también, acceder a regiones ignotas dentro de uno mismo. Se convierte así, aunque esté en la distancia y sea inaccesible, en maestra de ceremonias, portadora de mensajes iniciático-amorosos, reflejo de la mujer interior.

PASIÓN, COMPASIÓN Y AMOR CÓSMICO

La energía se manifiesta como deseo y pasión. Se polariza en femenina y masculina, y uno y otro aspecto tienden a complementarse. El andrógino, que está conformado por ambas potencias, se duplica o divide y la energía femenina y la masculina dan comienzo a su singladura, una a la búsqueda de la otra y viceversa, para complementarse, emprendiendo así el camino del retorno y la ascensión hacia la unidad. La cualidad de la energía cósmica se encuentra en todo ser humano. Esta energía se desenvuelve muchas veces como pasión, es decir, como anhelo intenso. La pasión puede llegar a enajenar, pero también puede convertirse en medio de progreso y aun transformarse en energía para la apertura de la mente y del corazón. La pasión puede ser enfocada con una actitud aferrante, o de desapego. Puede, asimismo, provocar mecanicidad, o ser instrumentalizada a la luz de la conciencia y hacerse fuerza para el despertar. La pasión sexual, por su parte, puede devaluarse o valorizarse: todo depende de la actitud de quien la experimenta. Por el goce se puede llegar al gozo. El primero se queda en mera complacencia sensorial, pero el segundo tiene un gran significado psicológico y espiritual. El secreto reside en permanecer consciente y fluido y en aprovechar el deseo, el goce y la pasión para madurar interiormente e ir más allá del amor egoísta y que no es tal. En tal caso el objetivo no es la pasión, sino que ésta es vía hacia la evolución interior y el desarrollo de un amor más amplio y menos exclusivista.

A menudo la pasión mecánica es fuente de apego ciego y descarta el verdadero sentimiento de compasión. Pero, si hay conciencia, comprendemos que la pasión es «pasión con» y deviene en hermosa y enriquecedora compasión. Entonces, la persona que despierta nuestra pasión adquiere un peso humano específico, se convierte en una preciosa criatura que no es «nuestra», sino de la humanidad, y fluye hacia ella, espontáneamente, nuestra energía de compasión. Al amarla, aprendemos a amar a la criatura humana y a todo ser sintiente, a la vez que desarrollamos amor cósmico y pleno. Así, reconocemos realmente que la cualidad de la energía universal se halla en todos los seres y que sólo por eso todos deben resultar amables y amados. Ésta es la magia más poderosa y es la magia del amor, con todos sus misterios y sus mensajes. El que la descubre deja de ser un viajero sediento y aprende a dar afecto y no sólo a recibirlo. Se encuentra con el amor sin ataduras y obtiene comprensiones profundas que escapan al que vive de espaldas al amor.

EL ENCUENTRO MÁGICO-AMOROSO

Cuando el amor se vuelve magia, es el amor mágico. Allí donde el erotismo se torna mágico, es el erotismo iniciático. La fuerza sexual que unos trivializan otros la sacramentan. La libido, lúcidamente canalizada, puede convertirse en medio liberatorio e iluminador. La relación sexual puede devenir boda alquímica cuando los componentes de la pareja se hacen, a través de la relación amorosa, peregrinos hacia lo eterno, viajeros hacia lo infinito. El placer erótico se convierte en llave para abrir dimensiones clausuradas al amante ordinario. El encuentro de los cuerpos hace posible el encuentro de las envolturas energéticas y de las almas. El goce de los sentidos es una apertura y no una contracción; la experiencia orgásmica es cósmica y no personal; la sexualidad, en suma, se transpersonaliza. El cuerpo se convierte en el templo de Dios. No se niega el disfrute, pero se experimenta con desapego y se instrumentaliza hacia la experiencia mística y plena. La sexualidad entonces no desgasta, sino que potencia las energías. No abate, sino que dinamiza y estimula.

El intercambio pasional tiene la capacidad de transformar y transfigurar. Al hallar al otro, nos encontramos a nosotros mismos. La sexualidad no es sólo un festín de los sentidos, sino de los espíritus. El enardecimiento pasional, bien canalizado, sirve para quebrar el nivel ordinario de conciencia, descondicionar y dejar que una energía ultrasutil tome la mente y la reoriente hacia planos ultrasensibles. Se recobra el misterio mismo de la sexualidad y se penetran sus arquetipos más escondidos. La ilusión no equivoca ni extravía a los amantes, sino que, instrumentalizada, permite el gran salto al otro lado de la realidad aparente. El cuerpo se torna laboratorio alquímico-erótico. La interpenetración de cuerpos y almas proporciona el elixir de una experiencia transcorporal. El encuentro es mágico y se halla cargado de sentido demiúrgico e iniciático. La nube de éxtasis que envuelve a los amantes es el reflejo de un gozo mayor al que puede acceder todo ser humano si abre la mente a realidades del Universo Paralelo. La felicidad amatoria que deja transida el alma de beatitud encuentra su origen en el Alma Universal. La dicha se vuelve vehículo hacia lo Inmenso. La naturaleza y los propios cuerpos se transustancializan y la pasión sin límites, rica en secretos iniciáticos, se hace senda hacia el Origen. Es allí donde los amantes se sitúan más allá del ego y la dualidad y se viven como el Todo inmanifestado, al haber convertido la biología en suprabiología y la insatisfacción en plenitud. La ternura y la pasión han puesto alas de libertad, que no grilletes, y han abierto una vía dorada hacia una latitud del ser que siempre pasará desapercibida para el amante ordinario. Desde las raíces del cuerpo, penetrando las entrañas telúricas de la madre naturaleza, uno se catapulta hacia una conciencia sin fronteras ni condicionamientos, libre y totalizadora, donde la Diosa nos permite ver su rostro de frente y nos guía con su firme y amorosa mano invisible. Pero ello requiere una pasión mágica y una cópula (si se lleva a cabo) supracotidiana. No es el coito corriente el que puede desencadenar potencias suprasensibles ni el abrazo común el que puede hacernos encontrar el ojo de buey al Infinito. Es un ceremonial sexual muy sui géneris el que puede proporcionarnos un toque especial en la conciencia que nos permita girar la mente hacia realidades ignotas e inadvertidas. El arte amatorio se sublimiza y la pasión procura todas sus energías transfiguradoras. Sólo algunos pueden conseguirlo; también sólo algunos aspiran a esta alquimia amoroso-sexual. El encuentro debe estar saturado de magia y sensibilidad. La cópula demiúrgica e iniciática se encuentra en las antípodas de la sexualidad hueca, repetitiva y compulsiva. Es una vía mágica y no un acto profano. Es necesario insistir en ello, porque de otro modo desacralizaremos injustificadamente lo que en su dimensión ha sido sagrado desde siempre.

Para la celebración del encuentro amoroso-mágico es conveniente y hasta necesario haber enardecido e insuflado la pasión previamente a dicho encuentro. Los amantes, durante los días previos al encuentro, pueden anhelarse y visualizarse, lograr una actitud mental sensitiva y receptiva, meditar e intercambiarse energías. El ánimo debe estar sereno y la pasión presta. Aunque haya un exacerbado deseo, ha de ser desde la lucidez, la quietud y la ternura. En la mente comienza a celebrarse el acto amoroso. El hombre ensueña a la mujer y la mujer al hombre, se proyectan energías de amor y benevolencia, y cultivan la disponibilidad para el acto amoroso pleno y totalizador. Antes de conciliar el sueño, por las noches, los amantes se hablan, se dicen ternuras de alma a alma, se transmiten complicidades y secretos. Entran así en el sueño uno amando al otro y quizá, alguna vez, puedan soñar el mismo sueño y aun en sueños saberse cercanos y predestinados. Durante días pueden verse, aproximarse levemente de cuerpo a cuerpo, robarse besos y caricias y, evitando de momento la cópula, despertar más y más el deseo de unión amoroso-mística. Separados, pueden intercambiar sus energías visualizándose a través de la respiración. «Al inspirar tomo tu energía; al exhalar te doy mi energía». Se produce así un intercambio de auras, de anhelos, de sensibilidades. El nombre del amado/a se convierte en un mantra que puede repetirse para balsamizar las emociones. Los amantes van ganando todo su propio peso específico el uno para el otro. Existe amor pasional, pero no hay urgencia, no hay compulsividad. Es como el sabio *gourmet* que retrasa el placer de llevarse el primer bocado al paladar. Los amantes pueden permanecer en silencio, uno junto al otro muy sensibilizados, a la caza de mensajes ocultos, de vivencias muy íntimas. El silencio, cuando la comunicación es buena, acerca, nunca es denso o contractivo, aproxima, abre el poro de la carne y del alma.

Cuando la pasión haya sido lo suficientemente insuflada y recreada y la sensibilidad sea exquisita, todo ello asociado a una adecuada actitud de receptividad y entrega lúcidas, se establecerá el momento para el encuentro mágico-amoroso y la celebración de la cópula iniciática. Cada pareja lo preparará a su modo, y lo único que hacemos nosotros en este capítulo es ofrecer algunas sugerencias para los amantes, inspiradas todas ellas en las corrientes de amor mágico, pero adaptándolas a la época actual. En el encuentro estrictamente tántrico intervienen elementos que la persona no iniciada desconoce, tales como los *mudras* o gestos mágicos de las manos, la ofrenda al mandala o la concentración en el *yantra* (diagrama místico-esotérico), el ritual *nyasa* o de imposición de energías con recitación mántrica, la repetición de mantras hindúes o tibetanos y tantos otros. En cambio, las indicaciones que ofrecemos están al alcance de toda persona que, con inquietudes realmente místicas, quiera hallar en el encuentro amoroso una fuente de inspiración mágica y un extraordinario intercambio de ternuras, pasiones y fluidos.

Dado que el ambiente tiene un indiscutible efecto de resonancia anímica y hasta celular, es conveniente seleccionar una estancia agradable y disponerla de modo adecuado. La estancia es el altar externo, el *sancta sanctorum*, que los hindúes denominan *garbhagriha*, que quiere decir útero cósmico, matriz telúrica. La estancia debe ser limpia y ordenada. Es conveniente aromatizarla, adornarla con flores y utilizar una luz tenue. Los tántricos se sirven de la luz morada (no negra), que tiñe de un hermoso azul los cuerpos de los amantes.

Los amantes se sitúan frente a frente. Se miran, se intercomunican con la mirada. A través de los ojos hay un poderoso intercambio de energías y se descubren muchos matices hermosos y sugerentes. Ya ese intercambio de energías visuales (que forma parte del paralenguaje) provoca en muchos amantes gran excitación y anhelo de entrega. Después se acompaña el intercambio de miradas con tomarse las manos y sentir vivamente unas en las otras, mensajeras de vivencias muy cercanas. La energía y la tibieza de las manos en las manos tienen su lenguaje particular y muy elocuente. No hay prisa, no hay urgencia, así que los amantes se toman el tiempo que quieran en estos preliminares: miradas, intercambio de energías, algunas caricias incipientes, algún beso cálido y entrañable, la mejilla en la mejilla, tal vez un estremecimiento o la respiración que se apresura. Los labios demorándose en los labios; quizá una palabra tierna o el silencio embargador.

Los amantes se bañan. Es muy importante la higiene máxima de los cuerpos para que el poro esté receptivo y las energías fluyan libremente. Nos permitiríamos también sugerir que los días previos (o al menos el día anterior) se haya observado una alimentación pura y natural, para favorecer los centros de energía y despejar de impurezas los canales energéticos o *nadis*. También tiene su importancia que cada uno esté bien descansado, para que la atención pueda funcionar en umbrales elevados, y no tenga preocupaciones o disgustos que desconecten de la persona amada.

Tras el baño, los amantes se colocan prendas cómodas, preferiblemente muy naturales, siendo el algodón el material más indicado. Se colocan de manera confortable uno frente al otro y se relajan, pausando las respiraciones. Si lo desean (y desde luego así deben hacerlo si son yoguis), pueden entornar los ojos y meditar unos minutos en reconfortante silencio y compañía. También pueden hablarse de mente a mente y decirse: «Amado/a mío/a, eres mi compañero de viaje, mi pasión y mi fuego cósmico, mi amante y amigo, mi aventura de la carne y del espíritu». Lo importante es la disponibilidad interior y una exquisita capacidad de receptividad. En tal momento comienzan a hacer el amor los cuerpos astrales. Es el abrazo sutil en el astral, el intercambio de auras y de vivencias predestinadas, la generación de un karma particular, la creación de un vínculo energético que en algunos amantes permanece hasta la muerte... y más allá de la muerte física. Tal vez los amantes se estaban buscando desde hacía milenios, como sucede con el protagonista, Naraín, de mi relato mágico *Pamini*, que toma vida tras vida para hallar a la amada y a través de ella peregrinar hacia la liberación definitiva.

El mantra es el nombre de la persona, que puede susurrarse lenta y voluptuosamente, con su capacidad para evocar-invocar-convocar al ser querido que nos acompaña. De manera lenta y espontánea, pero a la luz de la conciencia plena y evitando toda mecanicidad y rutina, van enganchándose unas caricias con las otras y los amantes, como si la vida les fuera en ello, deben sentir la profundidad de la caricia, como si quisieran y pudieran detectar el peso específico de la sangre del amado. Se produce una muy vigorosa transfusión de energías. La caricia es voluptuosa y lenta, sagaz y vitalizadora, perceptiva y profunda. Los poros hablan. La caricia sigue su curso, descubriendo lentamente el cuerpo del amante. También pone en marcha la magia del beso. Besos de todos los signos y características, cada

La cópula mágica puede realizarse mediante posturas muy diversas,
como se aprecia en los relieves eróticos de los templos de Kajuraho, en la India
(foto del autor).

uno con su mensaje, cada uno con su secreto y su confidencia. Besos saturados de ternura y besos cargados de pasión y de lascivia.

Los amantes se extienden en el lecho. Puede ser una cama, una alfombra o un futón, como se prefiera. Se despojan de sus prendas. La respiración debe ser calma; la mente, atenta y perceptiva. Nunca hay prisa. El tiempo se ha detenido y el mundo ha quedado suspendido. Algunos amantes prefieren música suave, pero a otros los distrae y les roba atención. Las caricias se suceden; los cuerpos se rozan por aquí y por allá, se abrazan, se deslizan, fluyen. También fluyen las energías, y el abrazo sutil complementa al abrazo amoroso. El corazón del amante se escucha a través de las costillas. Uno percibe el calor, la ternura, la pasión del cuerpo abrazado, a veces tiernamente, otras con voluptuosidad y exaltación. Si los amantes lo desean, pueden invertirse unos minutos en el masaje. Para éste, pueden y deben preferiblemente utilizarse esencias. Cada uno la que prefiera: almizcle, oudh, rosas, sándalo, jazmín, lavanda, nardos, ópium... pero siempre lo más naturales que sea posible. Las esencias también dan su toque a la mente, envuelven, aproximan, contactan con otros planos. Poco a poco los amantes se van embriagando, pero no deben precipitarse, ni urgirse, ni perder la receptividad y la conciencia, ni precipitarse en lo mecánico o rutinario, ni perder de vista el objeto de su encuentro, el carácter de su abrazo. También se puede recurrir al masaje cuerpo a cuerpo. Al incidir en las zonas erógenas, también se está influyendo en los centros de energía y los canales energéticos. Las zonas erógenas se estimulan con caricias y besos, alientos, leves arañazos y cariñosos mordiscos.

No hay zonas erógenas fijas. Es privilegio y deber del amante descubrirlas. Algunas que en principio no lo son terminan siéndolo. Las caricias deben extenderse por todo el cuerpo, unas veces leves y sutiles, otras más vigorosas y profundas. Poco a poco se va generando una gran pasión y un poderoso intercambio de energías electromagnéticas y vitales. El hombre debe siempre mantener el dominio sobre el pensamiento, la respiración y el semen. En todo momento, su respiración ha de ser calma y nasal, y debe experimentar su sentimiento y percepción mucho más por lo sensorial y vivencial que sólo por lo genital, pues en este último caso no será capaz de controlar su orgasmo. La circulación de energías se hace libre en la medida en que los amantes se entregan a abrazos, caricias, masajes, besos y pasiones intensas. Va ascendiendo inexorable y voluptuosamente la pasión. El cuerpo es el altar. La vulva de la mujer es el crisol alquímico. Es la zona más sagrada para el hombre: la cueva de la energía vital.

Después de las caricias generales tienen lugar las caricias genitales de todo orden. ¿Qué se va a sugerir en este sentido? Al hablar profanamos el acto; al describirlo, ¿no lo desacralizamos? Cada amante, con su perceptiva sabiduría sensorial, debe descubrir cómo enardecer, embelesar y entusiasmar al amado. Los manuales sexuales (incluidos los más antiguos y diestros: los indios *Ananga Range* y *Kamasutra*) son a menudo, y si se nos permite ser tan claros, tan estúpidos como grotescos o divertidos. Hay cosas que se aprenden con sensibilidad y por uno mismo o que no se aprenden jamás por muchos manuales eróticos indios, persas y árabes que uno consulte. Hay amantes de exquisita sensibilidad desde su primera experiencia y que saben suplir su desconocimiento con su amor y ternura, y hay amantes que siempre son mecánicos e insuficientes, por mucha cultura sexual de que dispongan o incluso por muchos artefactos sexuales de que se sirvan.

La aproximación se intensifica; el abrazo se torna más estrecho. Cuando los amantes lo creen oportuno, dan lugar a la cópula mágica. Cualquiera que sea la postura que se adopte, siempre se exigen movimientos lentos, muy lentos y voluptuosos (con gran atención mental) y espacios de detención, mediante los cuales continúan las caricias, los besos y las contracciones genitales. Tales momentos de inmovilidad genital externa son esenciales. En todo caso, siempre hay que prolongar la cópula, y cuando menos habría que demorarla más allá de media hora.

La mujer debe abandonarse a tantos orgasmos como la vayan tomando, que diferirán en duración e intensidad. Aun las mujeres que se crean uniorgásmicas pueden descubrir, si se prolonga la cópula, que son multiorgásmicas. Dependiendo de si la mujer requiere más o menos el roce y la presión sobre el clítoris, deberán seleccionarse unas u otras posiciones amorosas. Hay mujeres que gustan de ser acariciadas en el clítoris durante la cópula, pero otras en absoluto. La franqueza al expresarse es necesaria, sin inhibiciones, pudiendo «negociarse» (el término es poco mágico, pero muy significativo) los intercambios sexuales, pues es un mito total creer que ambos consortes deben disfrutar de lo mismo e identificarse con los mismos placeres sexuales, como también lo es, y aun más, creer que el orgasmo debe ser simultáneo. La mujer puede obtener múltiples orgasmos, y cada uno con sus peculiaridades, desde los que son rápidamente ascendentes y en pico hasta los que se recobran de manera más lenta y en cresta o meseta. En todo caso, y aunque fui autor de varios libros de sexo cuando comencé a escribir hace más de tres décadas, me niego en estas páginas a ser explícito, pues considero que todo amante bien dispuesto, sensible, apasionado y tierno dispone de una inteligencia primordial para descubrir los placeres del amado/a y proporcionárselos, y si esta inteligencia falla, ninguna indicación bastará, como de nada me servirían a mí todos los manuales de música para mejorar mi pésimo y desafortunado oído musical.

En el tantra-yoga, como ya he indicado en otra parte de esta obra, se utilizan básicamente algunas posturas, pero sobre todo aquella en la que la mujer se sienta sobre el hombre y toma la parte activa. Puede practicarse sobre un taburete o silla, o también al borde de la cama. El hombre se sienta al borde del lecho, con las plantas de los pies fijas en el suelo, y la mujer se coloca sobre él y extiende las piernas sobre la cama, de manera que los genitales quedan muy unidos. Es postura excepcional para demorar durante mucho tiempo la cópula, alternando leves movimientos e intervalos de detención. También para cópulas muy prolongadas son excelentes las siguientes posturas: la mujer en decúbito supino debajo y el hombre encima, la mujer y el hombre de lado y de frente, de lado, pero ella de espaldas a él, o bien la mujer encima del hombre en cualquiera de las posiciones (sentada o extendida). En cuanto a las posturas circenses, acrobáticas, sinuosas y laberínticas, excitan más por lo rocambolesco y lo inusual que por ellas mismas. No las incluimos, puesto que estamos hablando de sexualidad mágica y no de equilibrismo ni sexualidad-aerobic. En cualquier caso, los amantes hallarán su postura o posturas preferidas y, si verdaderamente son amantes mágicos, sabrán que la mejor postura es la de la mente, que comporta:

—Pasión
—Entrega
—Ternura
—Atención a las necesidades del amado
—Satisfacción propia y ajena
—Sentimiento amoroso
—Delicada actitud mental
—Amor y «almor» (amor del alma).

Entonces el arte amatorio se convierte en arte también «almatorio». Y el éxtasis sexual es, asimismo, éxtasis anímico. Es el amor mágico que «quien lo probó lo sabe».

4

EL PODER DEL TANTRA Y EL

Amor mágico

EN LA INDIA

EL AMOR MÁGICO Y EL CULTO A LA DIOSA

En la India ha surgido y florecido un gran número de claves místicas, mapas espirituales, métodos liberatorios y vías hacia la autorrealización. Desde hace milenios, seres humanos con marcadas tendencias hacia la búsqueda de lo ultrasensible se abocaron a una larga pero prometedora persecución de lo Inefable. Para ello, indagaron dentro y fuera de sí mismos, rastrearon intuitivamente las últimas realidades, se afanaron en descubrir la realidad allende la realidad aparente. En su afán por acceder a otra dimensión más luminosa y sabia de la mente y aprehender la esencia liberadora, concibieron y ensayaron toda suerte de técnicas de autodesarrollo, exploraron todas las dimensiones de la consciencia, sondearon en todos los lados de la psique humana y aprendieron a hallar motivación e inspiración mística en los más variados aspectos de la existencia humana, instrumentalizando, para la autointegración, estados anímicos, sentimientos y emociones. Descubrieron, experimentaron y verificaron así el gran poder del amor cuando se pone al servicio del acrecentamiento de la conciencia y la visión liberadora.

Es el amor una gran potencia sin límites que, bien canalizada y reorientada hacia la liberación, tiene la capacidad de transformar e, incluso, transustancializar, produciendo inmensas modificaciones en la conciencia, el subconsciente y el cuerpo astral, y actuando como un bálsamo capaz de restañar todos los estigmas y heridas, así como de despertar energías latentes que nos pasan habitualmente desapercibidas. Para ello se requiere un amor sin muerte (amor: sin muerte), es decir, un amor sin aferramiento ni apego, ni mucho menos servidumbre, y no el amor ávido y dependiente que no es tal y produce la muerte anímica, enturbiando la visión y desatando dragones indomables como los celos, el afán de posesividad y las exigencias narcisistas. Pero en todo amor en el que operen las laberínticas potencias de la biología pueden surgir (salvo después de un prolongado entrenamiento anímico) tendencias neuróticas destructivas o autodestructivas y, cuando menos, elementos perturbadores y limitadores como el afán de reciprocidad, las expectativas egocéntricas, las presiones, las dependencias mórbidas y sutiles o los burdos intentos de manipulación, dominio y sometimiento. Se ponen al descubierto todas las carencias afectivas, y el sujeto-amado no es en tal caso puente hacia la libertad, sino pasaje hacia la esclavitud; no deviene ventana hacia lo cósmico y vehículo de expansión, sino instrumento de contracción y de asfixiante individualismo. Así, el amor que debería liberar esclaviza; la energía amorosa que podría transportarnos hacia un sentimiento oceánico de infinitud-plenitud nos traslada a un sentimiento pobre de autorreferencia y limitación. En tal caso, el ser-amoroso que debería constelar todas las criaturas, celebrando a través de sí la fiesta amorosa hacia todas ellas, se torna una fijación obsesiva que excluye todo otro amor y toda actitud realmente expansiva. Hay un viejo adagio en la India que reza: «Lo que a unos libera a otros esclaviza», o también: «La misma espada que te salva la vida puede quitártela». Y así como en el amor totalizador y místico, libre de las potencias biológicas y los sentimientos románticos, no existe ningún peligro de involución, en el amor entre dos personas, coloreado por la pasión y movido por energías biológicas y astrales, siempre existe el peligro de que se desaten sentimientos negativos y de regresión, con lo que se frustra el peregrinaje interior hacia el crecimiento y se apuntala el ego en lugar de ir purificándose. Es el amor entre dos personas, pues, un reto para el buscador de lo Incondicionado, un desafío para poner a prueba su capacidad de independencia interior, su motivación de crecimiento interno, aprendiendo a «comerse el cebo sin tragarse el anzuelo».

El amor mágico no es el amor profano. Así lo entendieron hace más de siete milenios los buscadores de la India. A veces, incluso, uno se sitúa en las antípodas del otro. El amor mágico, por supuesto, no es amor cotidiano, ni mucho menos convencional. El amor cotidiano busca el placer, pero el amor mágico busca la trascendencia, la plenitud y la comunión. El primero se centra y concentra en los dos miembros de la pareja y a menudo puede provocar una simbiosis que detiene el desarrollo interno y desencadena los fantasmas de los celos, la demanda neurótica de seguridad, el aferramiento y la avidez del otro; en cambio, el amor mágico permite que fluya el amor intenso a través de la pareja para trascender a la pareja misma y proyectarse sobre todos los seres sintientes. El enamorado mágico podría declarar: «¡Cuánto, amada/o mía/o, amo a todos los seres a través de mi amor hacia ti!». En el amor cotidiano se halla el hijo de la carne, pero en el mágico es el hijo del espíritu el que se busca, se crea y se recrea. El amor mágico no sabe de limitaciones, ni de cotidianeidades, ni de exclusivismos, ni de falsas morales, ni mucho menos de convencionalismos. No tiene barreras; no dispone de fronteras. Redobla la propia fuerza, amplifica hasta sus límites la capacidad creativa. Pero tiene sus riesgos; no oculta sus muchos peligros. Puede construir o destruir. Puede poner alas de libertad total, pero también pesados grilletes de esclavitud. El amor mágico no es para todos. Muchos no están preparados para él; otros ni siquiera se hallan capacitados para entenderlo o sentirlo; otros le dan la espalda; a otros les pasa desapercibido. El amor mágico no tiene leyes, no sabe de normas ni se encorseta en reglas. Está más allá de edades, de tiempo y de espacio, de lo prudente o racional, de lo social y convencional. Tan intenso, demiúrgico y mistérico puede o debe resultar que, a menudo, deja de experimentarse por la propia mujer y se experimenta por la de otro (Lanzarote vibra por Ginebra, la mujer de su mejor amigo); o brota como una imparable corriente telúrico-mística hacia un ser inalcanzable (Dante suspira por Beatriz, Petrarca por Laura, don Quijote por Dulcinea); o es un fluido arrebatador y arrebatante que nos toma y nos inclina hacia una persona a la que llevamos medio siglo de vida o que nos lo lleva a nosotros, o hacia un ser que habita en el otro lado de la Tierra o incluso en las dimensiones inescrutables del astral.

Este amor que es el amor mágico tiene sus propios arquetipos, leyes, saberes y destinos. Tiene su karma, como dicen los maestros de la India, y puede liberar o arruinar, hacernos salir del laberinto de la ilusión hacia el firmamento de la Serena Luz o dejarnos enraizados de por vida en las redes de la *maya* (ignorancia primordial). El amor mágico es a menudo la senda sin senda. Unos no están capacitados para seguir esta vía sin mojones; otros se sitúan, por su evolución, más allá de esta vía y no la necesitan. Depende de la naturaleza de cada persona: de su karma, de su destino. Porque habría que preguntarse si en la dimensión del amor mágico puede haber tal cosa como libertad total para optar o no, y más bien uno podría responderse que la libertad no reside en sustraerse a esa arremolinadora y turbadora marea, sino en la capacidad de permanecer atento, lúcido, hasta cierto grado ecuánime, nadando sobre la arrolladora corriente para no perder la conciencia, cabalgando sobre el tigre (al decir de los tántricos indios). Sí, habría que preguntarse si tomamos el amor mágico o si, inexorablemente, él toma a determinadas personas y las somete a la prueba del laberinto más laberíntico, para retar su capacidad de estar conscientes y desapasionados en el máximo apasionamiento. Se dice que sólo en el mismo centro del tornado hay quietud y silencio. Únicamente aquel o aquella que logra mantener la conciencia clara en el tornado del amor mágico sobrevive místicamente y místicamente se enriquece, pero los otros, que son mayoría, representan su propia tragedia, se desgarran y desvitalizan, se extenúan y agotan sin remedio. Quizá para evitar tales peligros, el buscador de la

India se prepara durante un tiempo prolongado, recurriendo a las valiosas técnicas del yoga, purificando sus negatividades anímicas, desarrollando y unificando su conciencia y abriendo el centro-energía del corazón. Sólo el que se halla en total disponibilidad y apertura puede peregrinar por la senda del amor mágico sin que se desarbole su conciencia, y lograr la cuadratura del círculo consistente en apasionarse desapasionadamente y entregarlo todo sin perder los recursos más íntimos y sin precipitarse en la calamidad, la desorientación y los hondos surcos de las propias heridas sin restañar.

El amor mágico, enseñan los maestros de la India, no debe perder su toque de luminosa conciencia. Es arracional, pero no irracional. Es supracotidiano, pero no un sinsentido total. Si uno no está preparado para la singladura, en deshora aparezca la persona que nos inspire ese amor mágico, porque en lugar de integrarnos nos fragmentará de tal modo que luego tardaremos años o vidas en recoger y agrupar nuestros fragmentos. Pero si logramos mantener el toque de la conciencia luminosa podremos poner nuestros fragmentos a sus pies, humildemente, y, con la grandeza del buscador inquebrantable y sin desfallecer, integrarnos al instante y proseguir el viaje del amor mágico, hacia lo místico, no sólo hacia lo terrenal; hacia esferas supraconscientes, y no sólo hacia el universo subterráneo de lo inconsciente (la sombra, como la llamaba Jung). Este amor mágico, bien enderezado, clava sus raíces profundas en el inconsciente, lo reabsorbe y conduce todas las energías hacia lo alto, provocando una implosión psicológica que mueve el eje petrificado de la mente y abre perspectivas místicas liberadoras. Experiencias que una persona puede lograr mediante esos paraísos artificiales que son las sustancias alucinógenas, el enamorado mágico las consigue con su energía amorosa, pero bien es cierto que tampoco este camino es seguro y que muchas personas son conducidas por su propia naturaleza al sendero del amor lineal, reproductor más que creador, carente de magia y más aún de mística, cotidiano, que implacablemente va agotando y desgastando las sensaciones, precipitándose en la rutina, amoldándose a viejos patrones de conducta y tornándose, en el mejor de los casos, un fastidio compartido y difícilmente soportable.

El amor mágico es una potencia viva. El que lo experimenta puede servirse de su energía para trascenderse y trascender, desmontar la densa burocracia del ego o intensificarla, liberarse o quedar atrapado. La energía que reporta puede reorientarse salvíficamente o, por el contrario, esclavizadoramente. Es por esta razón que en las corrientes de amor mágico en la India las enseñanzas iniciáticas insisten en la necesidad de que el culto a la mujer vaya siempre refrendado por un culto a la Diosa, porque si la mujer falla (o el hombre en su caso), jamás lo hará la Diosa, que es madre, amante, amiga, hija, hermana, confidente y compañera espiritual. Toda mujer es así el reflejo de la Diosa, su envoltura carnal en el nivel-materia. Aunque todas las mujeres del mundo a uno le diesen la espalda, la Diosa siempre estará con uno. Si, cuando la mujer amada se pierde, uno no ha canalizado la energía hacia la Diosa, se experimenta un cataclismo emocional, un desgarramiento feroz y el amargo sabor de la soledad, el desvalimiento y la desvitalización. En el amor mágico tal sentimiento es infinitamente más lacerante si el individuo no ha crecido interiormente, no ha fomentado su conciencia lúcida y no se

ha conectado con energías de orden superior. Si se pierde la
ola pero se gana el océano, el dolor es superable. Al amar a
la mujer (o al hombre), se ama el principio incondicionado
e inefable que la anima. Puede perderse el cuerpo del ser
amado, pero no el proceso cósmico que lo nutre. Así, aquel
que se ejercita en el verdadero amor mágico y aprende a
liberarse de los conceptos egoicos nunca pierde al ser amado y, aunque se aleje, sigue estando unido a él, porque el
vínculo es perdurable. No es el vínculo de las sensaciones
burdas ni de las lascivas caricias perdidas, sino el de alma a
alma, energía a energía y corazón a corazón. El «te amo porque me amas o me proporcionas placer» se supera, para surgir el «te amo aunque no me ames, y mi amor es entero,
suficiente y completo en sí mismo; ni siquiera tú podrás
conseguir jamás que deje de amarte».

Si se ha crecido lo suficientemente en el interior, la
separación de cuerpos ya no representa un dolor abismal y
desenfrenado, sino una sombra de aceptada tristeza que es
el resultado no de la compulsividad, sino del discernimiento sagaz. En todo encuentro se halla el germen de la separación; pero es separación aparente, porque ¿acaso no todas
las olas juguetean en el seno del océano? Incluso si la mujer
ama a otro, también así le ama a uno, porque la misma
energía anima a todos los seres sintientes. Sin embargo,
cuando el amor mágico no se instrumentaliza hacia el
crecimiento interior, puede tornarse fuente de aferramiento sin límites, temores de todo tipo, pusilanimidad y abatimiento.

Todo el mundo se encuentra, en principio, en disponibilidad de acceder al amor cotidiano; muchos menos po-
drán alcanzar sabiamente el amor mágico; sólo unos pocos

están capacitados para el amor tántrico, y los menos para trascender todo amor libidinal o sexual y asumir el androginato espiritual, desarrollando, equilibrando y mandando sus internas energías masculinas y femeninas. Los que logran esto último son los héroes místicos realizados, capaces de prescindir de la mujer (o la mujer del hombre) como objeto amoroso y a su vez también capacitados para verla (o verlo) suprasexualmente. Pero en el amor mágico se tiende a perder la cordura, y la relación puede convertirse en un desatino. Se produce una especie de inmensa conmoción de la que sólo algunos toman las riendas y a través de la cual afilan su entendimiento. El amor mágico es embriaguez de los sentidos, borrachera carnal y emocional, intercambio de energías muy poderosas que operan de los chakras (centros-energía) de una persona a los chakras de la otra. Noches de insomnio, zozobra, pasión desenfrenada, ensoñaciones indómitas, terror a la ausencia del ser amado, ansias de amor incontenido, olvido de todo menos de la propia satisfacción en el ser amado... Pero ese «en amor» precipitado e intenso puede impulsarse hacia la liberación interior, aprovechándose como banco de pruebas para combatir los malos hábitos que nos salgan al encuentro, los sentimientos de posesividad y las turbias intenciones. El amor mágico se hace maestro si el que lo arrostra lo hace con la actitud de un guerrero espiritual, acompañándolo del amor consciente: aquel que atiende más las necesidades ajenas que las propias y sabe, por igual, tomar y soltar.

El amor mágico es también una iniciación, una instrucción mística, un método de autoconocimiento y crecimiento, un ejercitamiento para desarrollar visión profunda, ecuanimidad y fortaleza. Las corrientes de amor mágico en la India se han encauzado en el amplio río del tantrismo. El tantra es el aprovechamiento de todas las energías, incluidas las sexuales, afectivas y emocionales. Para aquellos buscadores de lo eterno incapaces todavía, por su grado de evolución insuficiente, de poder suprimir conscientemente las pasiones y desasirse de lo fenoménico, el tantra propone sus métodos liberatorios, no invitando a apartarse de lo fenoménico, sino a penetrar lo fenoménico y saturarlo de lo nouménico, como el tibio rayo solar se filtra por el nubarrón más oscuro y lo va iluminando. Pero el tantra no es abandonarse a las pasiones, como el indisciplinado ludópata se abandona sumisamente al juego, sino que es vivir las pasiones desde la conciencia lúcida y entrenada yóguicamente, para que el canto omniembargante de las sirenas no absorba, perturbe y obnubile la mente del buscador. La Diosa conforma el laberinto a su alrededor, porque la misión de éste es defender su Centro, es decir, a la Diosa misma.

Sólo con mente clara y discernimiento puro es posible penetrar en el laberinto y burlarlo para hallar su Centro liberador. Allí sobrevendrá el desposorio con la Diosa, y en su rostro será posible ver y apreciar los rostros de todas las mujeres del reino humano; todos esos rostros resultarán, sin diferencia, igualmente hermosos, entrañables, elocuentes y sugestivos. El tantra nos incita a probar la miel, pero nos ofrece métodos para no tornarla en hiel y más aún: convertirla en miel salvífica, el soma o néctar liberador de toda ilusión, de toda apariencia, de todo holograma fenoménico. La sexualidad banal se convierte en erótica mística, las caricias mecánicas se tornan caricias profundas y rituales, el coito mecanizado es sacramentalizado. Se instrumentaliza también la energía de la respiración, del pensamiento y de aquello que está más allá del pensamiento. Se aprende a abrir esos centros de energía-consciencia, los chakras, que nos conectan con el proceso cósmico. Pero sin ejercitamiento interior, sin meditación, sin yoga o método liberatorio no hay verdadero tantra. Uno puede engañar a los otros, pero es difícil engañarse siempre a uno mismo. El tantra es para los que quieren cabalgar sobre el tigre, y no para aquellos que se conforman con que el tigre cabalgue sobre ellos.

EL TANTRA

Aunque el culto a la Madre, y por tanto a la Diosa, se pierde en la noche de los tiempos en la India y es muy anterior a la penetración de los indoeuropeos, el tantra como movimiento místico-esotérico propiamente dicho surge en el subcontinente indio en el siglo IV de nuestra era, y sus actitudes, técnicas y métodos de autorrealización habrían de influir en los distintos credos florecidos en suelo indio: hinduismo, budismo, jainismo y otros, así como en escuelas iniciáticas y sectas religiosas. Muchas de sus instrucciones místicas y enseñanzas esotéricas enraizan con los cultos prevédicos y dravídicos.

La médula del tantrismo está representada por el culto a la Divinidad en su aspecto femenino, la adoración de la vertiente femenina de todo el proceso cósmico, la tentativa persistente por reconciliarse y asimilarse con la potencia femenina que rige, dinamita, mantiene y modifica el Cosmos. A esa energía se la denomina Shakti. Es la potencia cósmica en todas sus modalidades, vertientes, formas y creaciones. Aunque anima todo lo existente, adquiere su significado y simbolismo completos en la mujer. La mujer es la Diosa viviendo a través de la forma humana. En toda mujer la Shakti celebra su drama y su comedia, su juego telúrico y cósmico, su danza cosmogónica. En toda mujer relumbra el rostro de la Diosa, pero en algunas, especiales como orquídeas, se constela de manera más intensa, de igual modo que hay rosas que exhalan un perfume más penetrante que otras.

Pero hay que entender muy bien el concepto de la Shakti. Es energía primordial; es dinamismo, movimiento, creación, acción, poder, fuerza cósmica y vital. Hasta una brizna de hierba está animada por la Shakti. Un gorrión respira porque la Shakti se recrea en él, y ni un latido sería capaz de dar el corazón sin ella revitalizándolo.

La Shakti es la consorte del Absoluto. Los indios la adoran en sus numerosos aspectos: sumisa, feroz, amorosa, implacable, salvadora, enajenante, agresiva, tierna, aguerrida, misericorde... La energía puede crear y recrear todas las formas, imágenes, colores y universos. Pero, precisamente por ello, la Shakti es la gran demiurga, la más hábil y engañosa prestidigitadora, la más sagaz hechicera. Vela y desvela, confunde y esclarece, toma y deja, conforma todo lo ilusorio que oculta sutilmente lo más real y aun lo real dentro de lo real. Es como una bailarina que gira y gira sin cesar y a cada vuelta puede ofrecernos un rostro diferente. Es la maga entre las magas, chamánica y turbadora, el núcleo del núcleo, la esencia de la esencia, la enjundia de todo el universo. Ella hace y deshace, se manifiesta en el relámpago fugaz y en la cumbre sempiternamente nevada, en la sonrisa de una niña, en el abrazo fogoso de una mujer. Los fenómenos, las pasiones, los deseos, los alientos... ¿Qué no es la Shakti y qué podría vivir y sobrevivir sin ella?

El devoto de la Shakti se conciencia de que ella mira por sus ojos y oye por sus oídos, respira a través de sus pulmones y piensa en sus pensamientos. «Yo soy la Shakti que ha tomado este cuerpo y ella vive a través de él.» He visto devotos masculinos en la India, adoradores de la Shakti, que se visten de mujeres para así, travestidos, sentirse más aún la Shakti misma. Y si ella, la gran prestidigitadora cósmica, crea todas las ilusiones, azares, casualidades y causalidades, ¿qué mayor reto, qué desafío más difícil y noble que enfrentarnos amorosamente a la Shakti para robarle su energía y aventurarnos por los fenómenos y laberintos? Para ello, podremos mantener la cabeza lúcida y tranquila, pero siempre a riesgo de perderla, de extraviarnos y dejar de ser peregrinos por la Vía Láctea hacia la liberación definitiva. Porque el guerrero espiritual sólo puede aspirar a hacer tablas en el ajedrez cósmico con la Shakti. Ganarle no es posible. Hacerse ella ya es conquistarla y superar la batalla. Más sencillo es caer en su inmensa red de ilusiones (*maya*), dejarse arrastrar por los apegos y sucumbir a sus juegos de prestidigitación. Toda mujer ya tiene algo ganado por constelar directamente la Shakti, pero el hombre debe aprender a «shaktizarse», darle toda la vida a la Shakti dentro de sí mismo y desposar su lado masculino con su lado femenino para lograr el androginato místico que conduce a la antesala de la liberación. Es la gloriosa unificación de los opuestos, la conjunción de los contrarios; más allá, sólo la Unidad sin dos. Y en esa búsqueda de la Shakti hacia dentro, el aspirante la halla también hacia fuera y entra en el universo de las pasiones e ilusiones con el ánimo de instrumentalizarlas hacia la liberación y no hacia el encadenamiento. Pero si el placer no afina y afila la conciencia, sino que la nubla, el buscador se extravía. Si todo es la Shakti, la pasión es también la Shakti, la misma que a unos libera y a otros esclaviza, la misma que para unos abre un sendero hacia el paraíso y para otros un sendero hacia el infierno.

Apasionarse sin perder el eje de claridad y lucidez en uno mismo: tal es el secreto. Apasionarse sin identificarse mórbidamente: tal es el logro. Por la sinuosa senda del deseo se aboca el guerrero espiritual tántrico, porque «así como el suelo te hace caer, así tiene uno que levantarse con la ayuda del suelo». Se entra de lleno en el mundo fenoménico, pero manteniendo un grado de lucidez tal que no pueda abrasarnos por completo. ¿Cuántos superan la prueba, cuántos no son derrotados en el intento? En el proceso de intencionada y lúcida «shaktización» sólo sobrevivirán los que logren establecerse en su genuina naturaleza y permanecer inafectados aun en la afectación. Se requiere un largo entrenamiento psíquico para ello, un prolongado trabajo interior. La Shakti es luces y sombras, espejos que reflejan deformando y engañando, placeres y tristezas que turban y perturban. Sólo aquel que ha madurado lo suficiente aprende a tratar con la misma actitud lúcida lo grato y lo ingrato, la victoria y la derrota. El que lo consigue es un héroe y el que va aún más allá es un santo, un ser completo en sí mismo: ha conquistado su mujer interior si es hombre y su hombre interior si es mujer, y ha celebrado los esponsales internos. Para un hombre tal, todas las mujeres son sus madres; para una mujer tal, todos los hombres son sus padres. Así, un yogui indio, cuando le increparon por no hacer uso de la práctica amorosa (porque era un renunciante), declaró: «No estáis en lo cierto. Dentro de mí, mi mujer hace el amor con mi hombre. Me siento completo en mí mismo. No persigo placeres externos. Todas las mujeres son ya mis hermanas y mis madres. Me he completado interiormente. No persigo la mitad fuera de mí, porque las dos mitades en mi interior han formado la unidad. Vosotros seguid tratando de completaros y buscando la Shakti fuera. Yo hago el amor constantemente con ella dentro de mí. Así que no me increpéis porque haga desuso de la práctica amorosa. Decís eso por ignorancia».

Con discernimiento afinado y conciencia clara, el *tantrik* (practicante de tantra) debe penetrar por el universo de los fenómenos y, sin embargo, no dejarse extraviar ni confundir por ellos. Pone todo su amor en la Shakti, la Gran Dama Cósmica, y ella es su norte y dirección. Es ese amor profundo e incomparable el que le hace ver a la Shakti más allá de todos sus velos y muselinas cuando intenta mirarla de rostro a rostro. Y en ese amor halla la ausencia de sí, trasciende el ego y se convierte en la Shakti misma. Lo que ve lo ve con los ojos de la Diosa. Lo que oye lo oye con los oídos de la Diosa. Lo que habla lo habla con las palabras de la Diosa. Lo que piensa, son los pensamientos de la Diosa. En el culmen de la comunión profunda toda dualidad desaparece: sólo queda fusión, comunión total. Como dice Javad Nurbakhsh, «en el bazar del amor, donde el vendedor y el comprador son uno, ¿qué ganancia hay en vender o comprar?». Para el *tantrik*, lograda esa unión mística con la Diosa, todo es ganancia sin pérdida, llegada sin retorno. Pero el viaje es largo, no exento de riesgos, profundo y disciplinado. Mediante el ritual consciente, la meditación firme, el culto y otros métodos religiosos e iniciáticos el *tantrik* va despejando la vía hacia la Amada. No renuncia a nada; todo lo incorpora. Da la vuelta a aquello que vela, para que

El culto a la Diosa se ha manifestado desde tiempos muy remotos con
múltiples formas y en numerosos pueblos. En la imagen, la diosa de las
serpientes de los antiguos cretenses (Museo Arqueológico de Heraklion).

desvele y revele. Se sumerge en lo fenoménico y lo instrumentaliza para el crecimiento interior. No hay otra renuncia que no sea la de la ignorancia y el afán de posesividad.
Todo es de la Diosa; nada es de uno. Placer y dolor son dos
impostores ante los cuales hay que mantener la claridad
mental. Cualquier circunstancia y situación se tornan un
maestro; se instrumentalizan para desarrollar las potencias
internas. Uno no debe dejarse conducir, y menos fascinar,
por las apariencias, sino que debe irse estableciendo sólida-
mente en el desapego y el desasimiento, así como aprender
a abrir el corazón y exhalar amor. Placer y dolor, diversos
aspectos de la Diosa, se alternan y complementan. Al acep-
tarla, aceptamos tales aspectos; al amarla, llegamos incluso
a amarlos. Y en ese amor termina uno convirtiéndose en la
Divinidad misma. Cuando el *tantrik* la adora, es para hacerse uno con ella. ¿Acaso podríamos vivir un solo segundo
por separado, sin gozar de su energía, del proceso cósmico
que crea y recrea? Hay un poema sufí que bien puede aplicarse a aquello que el *tantrik* experimenta:

> *Tanto he pensado en Ti*
> *que mi ser se cambió en Tu Ser,*
> *paso a paso Te acercaste a mí,*
> *poco a poco me alejé de mí.*

Sobre el ancestral y muy antiguo culto a la Madre, el
movimiento tántrico fue apiñando técnicas y métodos sote-
riológicos. Terminó conformándose como una relevante vía
liberatoria, donde el disfrute (*bhoga*) es instrumento liberador, y no encadenante, si se vive con una mentalidad disci-
plinada (*yoga*). Abordando con conciencia lúcida lo sensible,

el *tantrik* penetra hasta el universo de lo ultrasensible. Es el Camino de la Madre, y ésta es adorada y amada en sus infinitas manifestaciones, desde las más benevolentes y apacibles hasta las más crueles y aguerridas. Con su energía omniabarcante, la Diosa emite todas las formas, sonidos, colores, fenómenos y criaturas. Allí donde mires, está la Shakti. Allí de donde partas, se halla la Shakti. Los que no creen en ella son la Shakti misma permitiéndose dudar de sí. Los que la adoran son ella misma adorándose. Como el pez que nace, vive y muere en el agua, y todo dentro y fuera de él es agua, así estamos inmersos en la Shakti, la gran maga, la demiurga universal. Ella es la fuente primordial, el alfa y el omega, lo infinito y lo infinitesimal. El amor hacia una mujer es el amor hacia ella. Cuando el *tantrik* acaricia, besa, ama a una mujer, está acariciando, besando y amando a la Mujer. Ella es antorcha que ilumina el tortuoso sendero de la vida fenoménica; es aliada y amiga, la gran amante que alienta, la mano invisible que nos guía. Es la pasión arrobadora, el deseo que nos abrasa y consume, la placidez sin límites, la quietud inafectada. A veces su rostro es mayestático y sereno; otras, cruel o inconmovible; otras, de ternura insuperable y sonrisa de loto primaveral. Se manifiesta en toda forma, en toda vibración, en todo nombre. Cuando el *tantrik* la adora, ella es la salvadora que le ayuda a pasar por el tenebroso mar de la ignorancia y le conduce a la calma profunda. Ella es ola de belleza, océano de libertad, nube de quietud y virtud. Cuando el *tantrik* siente el peligro de dejarse atrapar por las redes de los fenómenos, la invoca, la evoca y la convoca, y ella, presta, acude en su ayuda. Hasta el cansancio y la soledad son el cansancio y la soledad de la Madre. Hasta el vientre que durante nueve meses nos llevó en sus entrañas era el vientre de la Diosa.

En cierta ocasión me encontraba en Darjeeling, en el norte de la India, allí donde naciera Lawrence Durrell, frente al impresionante y majestuoso Kanchenjunga. Y soñé con la Madre. Y nada más despertar, antes de despuntar el día, a la luz serena de las velas, escribí a la Diosa:

He visto, Madre, tu nombre en las estrellas y me he visto a mí mismo viajando por los espacios siderales a tu búsqueda, a tu encuentro.

He visto tus ojos, Madre, en la noche, como lunas espléndidas en el firmamento, y me he visto a mí mismo persiguiéndote a lo largo de los siglos, besando tus huellas, anhelando tu presencia.

Esta mañana me he despertado con el alma agitada y he querido sentirte en mi carne, en mis esperanzas, en mis ansiedades. Te he querido hallar en cada duda, en cada aposento de mi mente, en cada instante. Te he sabido cerca y lejos, y te he implorado para que te dejaras sentir y vivir en cada átomo.

Tú, Madre, la gran *yoguini*, la demiurga, la hechicera cósmica, eres mi eco de infinitud, mi piedra de la luna, mi néctar, mi veneno... Te imagino con la risa de la aurora y con el olor de los jazmines. Tu gran matriz cósmica es tibia y dulce, y el fuego de la madre tierra fulgura en tus ojos de claridad infinita. Me he soñado a mí mismo caminante por la Vía Láctea gritando tu nombre. Tu nombre es la melodía de mi mente. «Ma» es el mantra de los mantras; la palabra mágica, la palabra de tu abismo insondable.

Para llegar a la Diosa, el *tantrik* se sirve de los fonemas místico-esotéricos, como más adelante veremos. «Ma» es el mantra de la Madre, y su sonido aparece en muchos idiomas en el vocablo madre. «Ma» es el primer mantra que todo niño pronuncia al comenzar a hablar. Es el signo más allá del signo, la llamada a lo conocible y lo Incognoscible, la súplica de amor y la llamada a la madre y... la Madre.

La Shakti es el aspecto femenino del Divino, y ella se oculta en lo más abismal del ser humano, a la espera de ser amada y desposada. Es la potencia creadora. Hace gozar y sufrir hasta que nos establecemos en ella. Entonces todo es un juego cósmico, un proceso omniabarcante. En la India se la adora como madre, hija, amiga, amante, compañera... Se la utiliza para visualizar energías cósmicas y lograr la transmutación interior, y se la tiene por la inseparable compañera que nos custodia y vela por nosotros. Late en nuestro corazón, fluye con nuestra sangre, palpita con nuestro pulso. A veces se la representa como una hermosa mujer con mirada amorosa y tierna sonrisa, pero otras como la diosa negra, activa, destructora del tiempo, caminante incansable por caminos de sangre, con el collar de calaveras al cuello, ojos inyectados en sangre, luchando intrépidamente contra los seres demoníacos.

La Shakti o energía cósmica individuada en el ser humano es denominada Kundalini: la serpiente cósmica, el fuego interior. Kundalini es la potencia creadora que reside en todo ser humano, la semilla de iluminación que puede ser desarrollada en alto grado y convertirse en el árbol del conocimiento liberador. Pero la mayoría de las personas viven de espaldas a esta semilla de iluminación y la dejan morir. Sólo aquellos que se aplican a ella la desenvuelven, la despliegan, la despiertan totalmente y recogen su fruto liberador. Kundalini es el toque de conciencia cósmica en todo individuo. Si uno la cultiva y se aplica a ella, se desarrolla, nos expande y nos proyecta sobre la Totalidad sin límite. El yoga, la meditación, el amor consciente, el ejercitamiento místico, el tantra auténtico, la práctica mística y, en suma, el trabajo interior van permitiendo el despertar de la Kundalini, es decir, la manifestación plena de la Diosa dentro de nosotros. Ella, cuando nos abocamos a tal trabajo, se deja tomar, poseer, descubrir, abrazar. Entonces derrama todo su néctar de sabiduría dentro de nosotros, nos transforma, nos conduce hacia la presencia del Ser o Divino. La Diosa es la intermediaria, en el tantrismo, para llegar al Ser o Conciencia Pura. Ella es la gran anfitriona. Porque detrás de todos los fenómenos, formas y apariencias, está la Shakti que los anima, pero detrás de ella, que es activa y dinámica (por eso crea y recrea todos los universos), se halla el Ser o Conciencia Pura, que es estático y quieto, y que se manifiesta a través del juego incansable de la Shakti. La Shakti, pues, proporciona una primera liberación, pero es, sobre todo, la mensajera que nos conduce al Ser, que procura la Liberación definitiva.

Shakti es un aspecto de nosotros mismos: la energía femenina cósmica que opera, nos forma y conforma. El Ser es otro aspecto de nosotros mismos: la energía masculina cósmica que es testigo y ángulo de quietud cósmica en nosotros. Shakti tiene que despertar en nuestro escenario interior y encontrar al Ser para desposarse con él, celebrar las bodas alquímicas que transmuten la ignorancia en Sabiduría liberadora. El *tantrik* busca desesperadamente a la Shakti para que ella le indique el ojo de buey hacia la

Conciencia Pura, donde ya no hay ser ni no-ser, ni todo ni vacío, sino libertad sin límites y el fin del apego, la aversión, la ignorancia y, por tanto, el sufrimiento. El que entra en el Ser se convierte él mismo en Ser. La ola recupera su carácter del océano que jamás dejó de ser, aunque por su ignorancia (el ego) así lo creyera y así se comportara. El mendigo descubre que, más allá de su pensamiento paranoide que le hacía creerse un pordiosero, es un rey. El maridaje de la Shakti y el Ser dentro de nosotros engendra el hijo del espíritu. El buscador se vuelve un héroe iniciático, concluye su viaje hacia lo Alto, se identifica con aquel que nunca dejó de ser.

Pero si la Shakti es todo, ¿qué hay detrás de ese todo? Si es la energía cósmica que crea todos los universos y vibraciones, nombres y formas, colores y espacios, ¿qué reside tras ella?, ¿a dónde debe conducirnos ella misma con su mano invisible?, ¿quién es su consorte, su complementario? No es otro que aquel que también está en todos nosotros en la raíz de la raíz del pensamiento, en la fuente de lo más abismal en nosotros, en el origen de nuestro origen. Le llamamos la Conciencia Pura o el Ser, pero los maestros de la India le han venido llamando, desde tiempos inmemoriales, SHIVA.

SHIVA: EL SER ABSOLUTO

Para la mística india, Shiva es el *sustratum* del universo, el Ser, lo Incondicionado, la Conciencia Pura. Representa la pantalla cósmica y sin límites, estática e inafectada, quieta como un océano en calma total. Es la energía estática

plena y omniabarcante, origen del origen, fuente de todo
principio y manifestación. Gracias a la Shakti, su contraparte y energía dinámica, con un enorme poder cinético,
crea todos los planos, esferas y universos. Ella hace posible
que en la inmensa pantalla del Ser broten todos los fenómenos, formas, vibraciones y planos de existencia. Shiva es
el Hombre cósmico en reposo, en tanto que Shakti es la
Mujer cósmica en movimiento, fecundando, creando, emi-
tiendo y reabsorbiendo, generando formas y nombres sin
cesar. Ella danza y danza trepidantemente, en tanto él permanece quieto, silente, como clara y luminosa consciencia
imperturbable e inafectada, testigo inquebrantable. Él está;
ella hace. Él es; ella opera, vela y desvela. Él es la contemplación y ella es la actividad. Él es el océano cósmico de
infinita e impávida quietud, y ella el oleaje que conforma y
configura todos los mundos y criaturas. Se despliega Shiva,
mediante la Shakti. El Ser se manifiesta mediante la Energía
Femenina o gran matriz cósmica generadora de todos los
seres animados e inanimados.

Shiva es el ser absoluto. Adorado por los yoguis
hindúes, es el señor de los chakras (*chakramurti*), el jefe de
las bestias (*pashupati*), el implacable meditador, pero también el gran conquistador de bellas mujeres. Es la deidad
más rica, polifacética y polimorfa de todo el panteón hindú.
Es el Señor de los Tres Ojos, aquel que destruye para construir a un nivel más elevado, el dueño de la vida y de la
muerte, el signo más allá del signo y el eje del cosmos. Pero
se dice que Shiva sin Shakti es como un cadáver; porque
gracias a la Shakti o poder se despliega, manifiesta y expande. Por efecto de la Shakti, se desdobla y desdobla en todos
los mundos y universos, crea todos los reinos de seres e

incluso se individúa en todo ser humano como conciencia pura e inafectada, el veedor que no se identifica ni confunde, el contemplador imperturbable, sagaz y sereno. Dentro de todo ser humano Shiva está como testigo cósmico; y dentro de todo ser humano la Shakti conforma su cuerpo, su energía (*prana*), su cuerpo astral, sus centros mental y emocional. Shiva se constela en la concavidad central del cerebro: ahí habita, ahí reside. Shakti se constela en el centro genital: ahí duerme, ahí se aletarga como una serpiente (*kundalini*) a la espera de ser despertada.

Shakti debe desplegarse e ir al encuentro de Shiva. La Gran Mujer Cósmica debe seducir al Gran Hombre Cósmico. Debe tener lugar dentro del ser humano el acoplamiento de Shiva y Shakti, lo que homologa el acoplamiento cósmico y que representan los tántricos mediante la cópula mística (*maithuna*). En la medida en que Shakti o Kundalini va desplegándose, ilumina los centros de conciencia-energía (chakras) en el ser humano y le reporta nuevas intuiciones místicas, claves liberadoras, iluminadores aportes iniciáticos. Cada vez que perfora un centro y lo ilumina proporciona un tipo especial de conocimiento místico, una energía singular, un poder. La gran hechicera que es Shakti debe hacerse penetrar por Shiva, lográndose así la conjunción de los contrarios y el androginato místico y liberador. El liberado-viviente se torna hombre-mujer y mujer-hombre, unifica toda dualidad, compenetra todas sus energías y da el gran salto hacia lo Inefable. El yoga, la meditación, la recitación de mantras, el ritual genuino, el tantra y el amor consciente favorecen el despertar y potenciación de la Kundalini.

Las figuras del templo hindú de Somnathpur expresan la dicha
que brota espontáneamente al desplegarse la conciencia
superpuesta a la realidad aparente
(foto del autor).

Shiva es el núcleo del núcleo, lo absoluto, el punto cósmico (*bindu*) que sostiene todos los universos que crea la Shakti. La explosión del cosmos genera el primer sonido, el primordial, llamado Sabda, y la Shakti fecunda todos los sonidos y palabras posibles. La gran cópula cósmica de Shiva y Shakti engendra los infinitos universos. De la Conciencia Pura, mediante el poder de la Energía, brotan y brotan todos los mundos. Y ella asume toda forma. La Conciencia Pura y la Energía perviven en cada ser humano. Si ésta encuentra aquélla y se matrimonian, deviene la gran liberación y se engendra el hijo del espíritu o conocimiento supremo. Los amantes tántricos, mediante el ritual eróticomístico, representan la gran cópula cósmica. El hombre, como reflejo de Shiva, permanece pasivo, pero lúcido y sin precipitarse en el orgasmo obnubilador y mecánico; la mujer, como reflejo de Shakti, es muy activa, como un desafío para la clara e inafectada conciencia de su compañero. Como veremos en el apartado correspondiente, hombre y mujer, Shiva y Shakti, generan un poderosísimo campo electromagnético para proyectarse a planos superiores e ignotos de la mente y trascender todas las apariencias.

Los tántricos instrumentalizan la relación sexual para, a través del abrazo de cuerpo a cuerpo y astral a astral, lograr el maridaje interno de Shiva y Shakti. El abrazo místico-sexual catapulta a la Shakti hacia Shiva y el semen, con su luz energética, no se vierte hacia fuera, sino que se revierte hacia dentro para potenciar energías interiores y esclarecer la mente. Esa luz del semen es entonces como un fuego purificador y liberador, tanto para el hombre como para la mujer. Se genera un inmenso calor psíquico (*agni*) y se queman las escorias del subconsciente, modificándose todos los códigos evolutivos e incluso influyéndose sobre la mente de las células. Así, el ceremonial sexual-tántrico es la representación del supramundano acoplamiento de los Dioses, y tiene un carácter salvífico, revelador, integrante. Esta ceremonia, correctamente efectuada, permite a los participantes retomar el hilo de su conciencia más genuina e irse restableciendo en la naturaleza original. Claro que el *maithuna* o ritual sexual por sí mismo no basta y es sólo un complemento. Hay que adiestrarse también en la meditación, el amor consciente, el trabajo interno y la genuina ética.

El ritual es un instrumento para acceder a otros lados de la mente y otras regiones del universo sutil. Shiva es Shakti y Shakti es Shiva. En realidad son uno, y uno trata de hacerlos el practicante dentro de sí mismo. Es el maridaje alquímico e iniciático. Hombre y mujer se restituyen en un nivel supracotidiano. Al amarse, se aman los Dioses; al fundirse, recuperan su naturaleza prístina y pura. La unión externa es sólo un método para la propia unión interior. El acoplamiento externo es acoplamiento interno. Entre el amado y la amada desaparece el velo del ego y ahí surge la unificación total, la que en el origen tuvieran Shiva y Shakti. Es un salto en el abismo; una pirueta en el universo sin tiempo. Cuando el velo del ego se supera, «tú existes en mí, pero tú tampoco eres ya tú». Ni una traza de partícula separa a los amantes. Ella es él y él es ella, y no es posible decir dónde empieza uno y dónde acaba la otra. La Clara Conciencia es la Shakti y la Shakti es la Clara Conciencia. El ardiente fuego de la pasión tántrica quiebra todas las dualidades y autorreferencias. En ese amor tántrico existen misterios que la razón no logra columbrar. Hay que tener la intrepidez de dejarse llevar por su energía, abandonando el ego, y guiarse por la sabiduría de la percepción más depurada. Bien instrumentalizada, la energía tántrico-amorosa es fuente de dicha y paz, proporciona un grado del éxtasis místico, procura energía para la búsqueda interior y la meditación; pero si el ego se densifica, puede el amante precipitarse en la enajenación y en la dependencia mórbida. Ese Gran Acto (*mahamudra*) que es la ceremonia místico-sexual requiere una gran motivación, ejercitamiento y claridad. Volveremos más adelante sobre ello, pero avancemos que únicamente los guerreros espirituales logran, y sólo a veces, pasar por el fuego sin quemarse.

Individuado en el ser humano, Shiva habita como Conciencia Pura, inmutable, inafectada. Está en la fuente del pensamiento, más allá de todo deseo, intención, idea o reacción, y es experimentable cuando la mente se enfoca hacia dentro y queda absorta en un silencio total e inalterable. A ese lado silente y fecundo de la mente viaja el yogui mediante sus métodos: meditación, autoinmersión, recitación de mantras, coito místico, danzas inductoras del trance místico, éxtasis-énstasis. En el origen de uno mismo vive Shiva. Es el testigo incólume. Porque nos identificamos con procesos mentales y emocionales estamos de espaldas a su naturaleza, que es nuestra naturaleza real, nuestro ser. Cuando cesa toda dinámica sensorial y mental Shiva se deja sentir como experiencia gloriosa, gozosa, transformadora y salvífica. ¿Quién no ha disfrutado de uno de esos estados cumbre de plenitud y totalidad, por fugaces que hayan resultado? En ellos reconocemos a Shiva danzando en el corazón; el Todo se deja tomar por la parte. Al buscar a Shiva, ¿no es Shiva el que se está buscando a sí mismo a través de nosotros? La realización consiste en hacer real la experiencia de nuestra Conciencia Pura. Cuando nos reconocemos como esa Conciencia Pura sobreviene la gran conmoción que nos libera y estallamos en paz y amor universal. Es la liberación del sufrimiento: el nirvana, el *nirvikalpa-samadhi*, la inmersión en el Todo que nunca hemos dejado de ser. Pero la mente ordinaria se encuentra incapacitada para percibir el Shiva interno. Es por esta razón que los grandes buscadores de la India han concebido y ensayado todos para abrir la mente a otras realidades, y en estos métodos figura el amor consciente y tántrico, energía canalizada hacia lo Otro. El trance yóguico (provocado por danzas, ritos, cantos, meditación ceremonial místico-sexual) nos permite atrapar la naturaleza de Shiva, aunque sea por un instante. Pero la lógica es insuficiente; el pensamiento es limitado. Hay que despertar otras potencias, otros modos de captación. La energía del amor se instrumentaliza en el tantra como un método de implosión para modificar la conciencia, girarla y permitirle visiones antes inadvertidas. Pero no se puede penetrar de verdad en la Conciencia Pura si no es a través de la conciencia despierta, conciencia despierta que debe mantenerse durante la meditación, el ritual y el sacramento sexual. En la medida en que vamos siendo más receptivos y nos vamos expandiendo, descubrimos a Shiva dentro y fuera de nosotros, como un aroma que todo lo invade. El aroma de Shiva es la bendición. El perfume de la Shakti es el gran regalo. La vida adquiere un nuevo significado y comprendemos la antigua instrucción mística:

«Estamos en el camino para ayudarnos. No hay otra cosa que el AMOR».

Para aproximarnos al Shiva que jamás hemos dejado de ser, pero que no reconocemos, debemos seguir lo que los indios denominan un *sadhana*, es decir, una estrategia espiritual, un entrenamiento psicomental. En el tantra, el *sadhana* viene apoyado por el ritual tántrico, la erótica mística, la meditación y la recitación de mantras. El mantra es la llave de la mente, el puente hacia el Divino, la palabra para recordar al Ser y a la Energía. El mantra es así clave, camino secreto, puente de trascendencia. El mantra de Shiva es «OM NAMAH SHIVAIA» y el de Shakti, «SHAKTI OM NAMAH». Cuando se repiten los mantras hasta los labios representan la unión, al chocar, de Shiva y Shakti.

En la supraconciencia mora Shiva. Es un estado elevado de mente al que podemos acceder. Todas las técnicas (incluido el ceremonial místico-sexual) constituyen instrumentos para aproximarse a ese estado de bienaventuranza y entendimiento. El que por siempre se queda en la supraconciencia, conectado así con su Shiva-Shakti, es un liberado-viviente, aquel que nada teme, nada ansía, sólo goza. Existe un ángulo de libertad en todo ser humano; es personal y a la vez transpersonal. Kundalini, como un haz de luz, nos va dirigiendo hacia él. Cuando arribamos, tiene lugar la gran celebración. El silencio todo lo ilumina; el Amor todo lo insufla. La compasión se torna la única religión, el único color, el único mensaje. Se recobra la inocencia original, el estado sin heridas ni máculas.

EL SADHANA TÁNTRICO

El *tantrik* debe desarrollar un intenso amor por la Diosa y, ciertamente, por todos los seres sintientes, puesto que en ellos alienta aquélla. Aunque se adiestra espiritualmente para cosmizar todos sus centros de conciencia-energía y transpersonalizarse, quizá con el que más deba trabajar es con el centro del corazón, abriéndolo sin cesar, para poder conectar amorosamente con todas las criaturas. Incluso la relación amoroso-tántrica es una mística puesta en escena de la cópula cósmica del Divino y la Divina para, a través de ella, rescatar el elixir del amor supramundano. No se trata de un simple, lascivo y mecánico acoplamiento de macho y hembra, ni mucho menos, sino de una lúcida e intensa fusión de los principios femenino y masculino para lograr un androginato ultrasutil y místico. Por otro lado, la ceremonia sexual-sacramental es sólo una técnica entre todas las que deben observarse para hacer posible el verdadero progreso interno. *Sadhana* quiere decir estrategia espiritual, trabajo interior, entrenamiento místico, adiestramiento iniciático. Resume un conjunto de procedimientos psicosomáticos, psicoenergéticos y psicoespirituales que hacen posible la transformación de la conciencia, la mutación de la psiquis y la transustancialización del cuerpo astral. No se da crecimiento interno sin *sadhana*. Y todo puede convertirse en *sadhana* si se instrumentaliza para madurar internamente, abrirse, fluir, expandirse y cosmizarse. El amor consciente es uno de los ejercitamientos o *sadhanas* más importantes e insoslayables. Sin amor (sin-muerte) no hay inmortalidad espiritual. El alma se gana... y se gana con amor.

El tantra sin el yoga es como la semilla sin el abono. El tantra nos enseña a fluir, sentirnos a gusto, celebrar y disfrutar, pero el yoga pone el toque de la conciencia. Todo ello, sí, pero no mecánicamente, sino con lúcida conciencia. En la mecanicidad hay degradación, rutina, hábito, herrumbramiento. En la conciencia hay crecimiento, ascensión, apertura e integración. En el tantra nada se reprime; todo se observa: se toma y fomenta lo positivo y se descarta lo negativo, pero sin reprimir, a través de una observación muy atenta y desapasionada, evitando reactividades que carguen los impulsos negativos. El tantra enseña a transformar las energías negativas en positivas. La misma energía se halla en el odio y en el amor, en la bofetada y en la caricia. Las cualidades negativas se cauterizan mediante la concienciación arreactiva, el cultivo de las cualidades positivas y la intensificación del amor. No existe bálsamo como el amor. Al principio es un ejercitamiento, pero luego se torna una actitud espontánea, del mismo modo que la flor exhala su aroma incluso aunque no haya nadie para recibirlo.

El tantra se sirve de técnicas psicofísicas del yoga, para una cosmización del propio cuerpo. El cuerpo proporciona placer y dolor. Es el templo material del Divino y es la conjunción de todos los elementos de la naturaleza. Se trabaja sobre el cuerpo (con esquemas corporales, contracciones de músculos inconscientes, técnicas de manipulación energética, procedimientos de control respiratorio, autoinmersión y otros métodos) para alcanzar el cuerpo astral y el centro mental. Muchas de las técnicas del yoga psicofísico (*hatha-yoga*, que es eminentemente tántrico) colaboran en la sabia reabsorción de las energías, las canalizan y potencian, mientras que otras favorecen el control de la libido y del semen, así preparan para el sacramento sexual. Los *tantriks* pueden optar sexualmente por tres vías: la de los que renuncian a la práctica sexual y transmutan sus energías sexuales en energías espirituales mediante técnicas de alquimia interior y mutación energética (son renunciantes que se decantan por entero a la ascensión mística y que superan todo apego, incluso el sexual); la de los que cumplen sus necesidades sexuales de manera ordinaria, con su compañera, sin recurrir al rito místico-sexual, y la de los que instrumentalizan la relación sexual y la sacralizan disponiéndola para la apertura de la mente y la propulsión de todas las energías. Cada buscador debe optar por la vía que más convenga a su evolución interior. Excepto el que ha optado por la renuncia y se ha vuelto un renunciante, el *tantrik* común no evade el disfrute ni el goce, sino que lo instrumentaliza. Es, por excelencia, un método básico que forma parte del *sadhana* tántrico. Aprende a manejarse con el deseo, según convenga. Aprende a sublimarlo, recanalizarlo, transformarlo, reorientarlo, ennoblecerlo o darle cauce con plena conciencia y lucidez. El disfrute no es el fin, sino el medio. El goce no es la meta, sino la herramienta para trascender. Se aprende a disfrutar sin apego; se ensaya el goce sin aferramiento. Todo se celebra, puesto que todo es la Diosa, pero sin dejarse confundir ni esclavizar. Esta actitud de apertura, pero desde la conciencia lúcida, define todo el *sadhana* tántrico. Es el gran reto, el desafío más grande. Se acepta el goce para provocar el gozo interior. Se saborea el placer como vía hacia la dicha interior que nos conecta con la Diosa. Shakti baila y baila en el propio corazón. Ella disfruta, ríe, goza y ama por nosotros. El disfrute (*bhukti*) es puente hacia la liberación (*mukti*). El *tantrik* aprende a operar sobre las energías de su unidad psicosomática, y lo hace con sagacidad indiscutible. Este cuerpo es un universo en miniatura, y la Shakti está celebrando su juego tanto en la entidad física como en la mental. El *tantrik* aprende a mirar. Es el suyo el mirar penetrativo, atento, inafectado. No se deja engañar por ilusiones, formas o apariencias. Trabaja sobre su cuerpo energético para cosmizarlo. Cuando brota el calor interior (*agni*) todas las células se revitalizan, todas las moléculas se ordenan y el semen se torna limpio y claro. Nada se evade; todo se confronta. El mundo fenoménico se utiliza para el entrenamiento psicomental. La pasión es método integrante y no desintegrador. Todo el secreto radica en purificar el ego, debilitarlo. Ni el sufrimiento ni el placer deben desbaratar la psicología del *tantrik*. Hay que aprender a manejarse por igual con uno u otro. Son las dos caras de la Diosa. No existe placer sin dolor ni dolor sin placer. Uno sigue al otro como la sombra al cuerpo. Mediante la clara luz de la conciencia bien establecida, los goces, las pasiones y los placeres no condicionan, como tampoco dejan huella ni herida sus opuestos. El sufrimiento tiene su propia energía. Puede haber mucho amor a través del sufrimiento. Cuando se conecta con una dimensión elevada de amor, surge la compasión por todos los seres, ya que todos se hallan sometidos a sufrimiento. Compadecerse es padecer con, es compartir el dolor, comulgar con el abatimiento ajeno. No hay cualidad tan elevada como la compasión. Es el bálsamo de los bálsamos. Es el amor sin ego.

El *sadhana* tántrico incluye el cuerpo, la mente, las emociones, la conducta y la transformación-canalización de todas las energías, sin olvidar las sexuales. El *tantrik* aprende a controlar el pensamiento, la respiración o aliento (incluido el cuerpo pránico, sus conductos energéticos y sus centros) y el semen. Se penetra en el deseo (en lugar de evadirlo o reprimirlo) para trascenderlo e instrumentalizarlo. Se ama a través del cuerpo, la mente, las emociones y las energías. Se ama también a través del alma, y ese «almor» o amor del alma se retroalimenta sin cesar y permite al practicante ser supraconsciente de la sinergia de la que forma parte. Viajando, por un lado, hacia lo más abismalmente inconsciente (donde se desarrolla toda la historia evolutiva) y, por otro, hacia lo más transpersonal, el practicante obtiene una comprensión cósmico-panorámica que muta todas sus energías psicomentales. Es el viaje hacia lo real que se viste de la realidad aparente y se capta, si no hay conocimiento hiperconsciente, como «realidad» subjetiva, mezclada con interpretaciones y prejuicios.

Con actitud de desapego y desasimiento, el *tantrik* coquetea, juega, flirtea con el deseo, la pasión, el disfrute. Al entrar en la materia, la transmuta, le roba sus energías y se las autoinviste, se vitaliza y cosmiza. Incluso cuando el *tantrik* adora a una imagen, es necesario que previamente la cargue de su energía y luego retome esta energía redoblada. Revitaliza la imagen y se hace uno con ella, es decir, adora a la Diosa convirtiéndose en la Diosa misma. La antigua instrucción dice: «Muerte para el que sólo sabe contemplar la diversidad, pero vida perdurable para el que ve la unidad en la diversidad». Incluso en la ceremonia místico-sexual, la pareja se sitúa más allá de toda dualidad. El hombre encarna en la mujer y la mujer en el hombre, pero ambos se hacen unidad en el *bindu* o punto cósmico anterior al universo y del que brota éste. Una mente y una percepción muy distintas surgen cuando se establece uno en la unidad, ya que siempre vivimos en la dualidad y la división. El ritual tántrico (ceremonias, adoración y demás) tiene por objeto reunificar las energías diseminadas y, haciendo gran acopio de ellas, dar el salto hacia lo Uno-sin-dos. Este universo de formas, que se dice espermatizado por Shiva, pierde su sentido de fragmentación, y el devoto percibe el *sustratum* sobre el que todo descansa. Pero esa percepción jamás es la ordinaria. A través del intelecto no es posible llegar a aquello que precisamente es anterior a él. Por ello, cuando a los maestros se les quiere sacar respuestas lógicas sobre la última realidad, no se prestan al juego. A un maestro indio se le preguntó: «¿Quién sostiene el mundo?». Respondió: «Ocho elefantes blancos». Y cuando se le preguntó de nuevo quién sostenía a esos ocho elefantes blancos, repuso tranquilamente: «Otros ocho elefantes blancos». Estamos fascinados por lo aparente, que es el juego ilusorio de la Shakti, y nos desconectamos de lo que está detrás: la Shakti misma y, más allá, el Ser.

Además de la aplicación de las técnicas del *hatha-yoga* y el *kundalini-yoga*, el tántrico se sirve del culto, la adoración, las ceremonias, la meditación, las visualizaciones para la transmutación de energías, el culto a la Diosa en todas sus formas (como desafiadora, consoladora, portadora de sabiduría, benevolente, aguerrida, clarificadora...), la utilización de *yantras* y mandalas, la recitación de mantras, la ceremonia Nyasa y el ritual místico-erótico. En seguida haremos referencia a algunos de estos procedimientos, pero insistamos en que todos ellos son intentos por traspasar los velos que pone la Diosa y ver lo que reside detrás. La Diosa juguetea incansable en nuestro escenario mental con pensamientos de todo tipo, ideaciones y torbellinos mentales. Es necesario aprender a desidentificarse de todo ello, estableciéndonos en el testigo inafectado, en la antesala del pensamiento, más cerca de Shiva: el testigo inconmovible. La Shakti genera todas las pasiones y anhelos, y el *tantrik* los saborea y deleita, pero sin dejarse atrapar por su fascinación ni su poder hipnótico. Se afirma el mundo y la naturaleza, pero no para permitir que nos engulla y abotargue. La Shakti genera todos los juegos fenoménicos y hay que jugarlos, con gran sentido lúdico, pero sin que nos sugestionen hasta perder la inteligencia primordial y el entendimiento básico, sino, por el contrario, aprovechándolo para trascender.

En realidad, la gran partida se celebra contra la turbadora Shakti, y quien la celebra es Shiva a través de uno. Pero la Reina Madre, la Rajarajeswari, es hábil para adoptar sugestivos atuendos, disfraces y enmascaramientos. Y resulta que para los tántricos «la senda que es la senda no es la senda». Uno debe hallar su propio itinerario y convertirse en peregrino incansable de significaciones en lo profundo. El *tantrik* tiene que desarrollar al máximo la consciencia-testigo, su naturaleza shivaica imperturbable, y aprender a vivir intensamente, pero sin despedazarse como consecuencia de los acontecimientos y de sus emociones enervadas y descontroladas. El juego de la Divina es esta vida de luces y sombras, de encuentro y separación, de triunfo y derrota. Pero en la fuente del pensamiento no hay confusión, y en el tabernáculo secreto del corazón no hay miedo, sino sólo amor. La Shakti es externa e interna. Quien ve en uno mismo ve en los demás, y viceversa. De ahí que se afirme: «Si te hiero, me hiero». Únicamente en el infernal ego existe separación. Y donde existe ego, ¿cómo puede haber amor y compasión? Cuando exhala su perfume la rosa ni siquiera es consciente de su individualidad. El amor más poderoso nunca parte de la autoimagen, el ego o lo autorreferencial. Es un don transpersonal que algunos tienen la fortuna o la gracia de experimentar de verdad; sólo algunos, y muy pocos. Otros están en el intento. Otros sólo buscan la propia complacencia y aprueban todo aquello que les provoca alteraciones agradables en el sistema nervioso, pero rechazan todo aquello que les produce alteraciones ingratas. Hay una hermosa historia india que evidencia la última unidad de todo: unos bandidos cogieron a un peregrino y lo golpearon cruelmente, provocándole muchas heridas. Luego, unas tiernas pastoras le cuidaron y atendieron, y con ungüentos y bálsamos curaron sus heridas. Restablecido, el peregrino dijo: «Los mismos que primero me han golpeado luego me han cuidado». Y sonrió. Y había en su sonrisa ternura, inocencia... y amor.

Para cosmizarse y trascender las ataduras del ego, transformando la psique en profundidad, el *tantrik* se ayuda en la meditación-concentración con los *yantras* y mandalas. Son representaciones gráficas del cosmos y se utilizan como soporte para viajar a otros planos de conciencia. El *yantra* o el mandala se tornan así un mapa espiritual, una brújula para orientarse hacia el Universo Paralelo, el de la contramateria. Toda forma tiene su contraparte sutil, incluido el cuerpo humano. Toda apariencia oculta lo real. *Yantras* y mandalas son métodos de iniciación, técnicas de reeducación mística.

La ceremonia conocida como Nyasa tiene una gran significación esotérica. Es mucho más que la caricia; es el toque de lo místico del cuerpo a cuerpo, de astral a astral. Representa más que el lenguaje del tacto; es el lenguaje de lo energético, de lo etéreo, de lo sutil. Se requiere mucha atención, perceptividad, amor. Forma parte del culto vivo a lo femenino. No es la energía ordinaria; es la energía cósmica y cosmogónica. Dios y Diosa celebran el acoplamiento. La energía de uno se intercambia con la de la otra. El hombre cosmiza el cuerpo de la mujer. Es una fecundación de energías, de mensajes ocultos, de arquetipos y de elocuentes silencios. La mujer se extiende apaciblemente, desnuda, descontraída y perceptiva. Entorna los ojos. Respira tranquila y regularmente. Se suelta, se relaja, se abandona, se deja ir. Se convierte en altar y en lago, en duna, en nube y en firmamento sin límites. Y se deja ir más y más, descontraída y libre. El compañero va colocando los dedos en las diferentes zonas del cuerpo de la mujer, pasándole su energía y creando un vínculo energético. La energía masculina va entrando en asociación con la femenina mediante estas imposiciones, que deben ir acompañadas de concentración en un sentimiento de vinculación energética. Los *tantriks* indios van repitiendo un mantra, generalmente el OM o cualquier otro que designe el poder cósmico, y van imponiendo las manos en las zonas donde se hallan, en correspondencia, los diferentes chakras o centros de energía-conciencia. Así, se coloca la mano y se recita el mantra correspondiente en el pubis, el bajo vientre, el plexo solar, la región cordial, la garganta, el entrecejo y la coronilla. Este intercambio de energías complementarias es un rito para la unificación o conjunción de los contrarios y puede también ser previo al rito místico-sexual o *maithuna*.

El tantra se sirve de la vía secreta de los mantras. La Shakti se refleja en toda vibración, sonido, nombre y palabra. El movimiento del universo genera sonidos que van desde lo más ultrasutil hasta lo más burdo y, al igual que una persona, remontando la corriente del río, puede llegar a su fuente, así el mantra burdo conduce la mente al sonido más sutil o cósmico. El mantra es una palabra de poder, cargada de sentido y energía a lo largo de milenios. Se utiliza como soporte para concentrar la mente, cosmizar, cosmizarse y conectarse con la energía-*sustratum* que lo provoca. Mediante el mantra se invoca, evoca y convoca, y la mente se absorbe en aquello que el mantra designa. Al estallar el universo, partiendo de Shiva, surgió el primer sonido, la vibración cósmica. Mediante la recitación mántrica se conduce la mente a la dimensión de lo no-ideacional y se potencian energías aletargadas. Si uno recita, por ejemplo, el mantra AHAM BRAHMASMI, «Yo soy Shiva», lo utiliza para conectarse con la energía que está más allá de todos los procesos psicomentales, autopenetrando la naturaleza primaria que anima todos los fenómenos en uno mismo. El mantra se torna así vehículo hacia la propia base o centro. Téngase en cuenta que el intento del *tantrik* consiste en ir más allá de las apariencias aun apoyándose en ellas, allende los fenómenos aun sirviéndose de ellos, dirigiéndose a la fuente de las pasiones aun experimentándolas. Celebra para trascender y no para seguir peregrinando indefinidamente por la cenagosa ruta de los apegos y aversiones. Ése es también el objetivo básico de la cópula mística. De hecho, el *maithuna* no es un yoga, como muchos han pretendido, sino una técnica yóguica más para canalizar las energías y abrir la mente, pero que adquiere su valor cuando se asocia con otras técnicas de autodesarrollo y que es incorporada a la búsqueda interior por aquellos que no siguen la vía de la renuncia. Hay que decir con ello que nadie puede aproximarse a la liberación exclusivamente mediante la práctica del *maithuna*, pues se trata de un medio más para conducir la persecución de realidades supracotidianas, inducir cierto tipo de trance y abrir la mente hacia el lado silente de la energía. Es decir, se instrumentaliza la cópula para vislumbrar otras dimensiones de la conciencia, para escudriñar otros rincones de la mente. No es, pues, que con la cópula mística la Kundalini pueda ser llevada hacia los centros energéticos más altos (quienes sostienen esto están equivocados o lo hacen tratando de equivocar a los otros), sino que el buscador aprovecha toda acción para ascender, incluida la relación sexual y, así, lo que a unos aletarga a otros despierta, lo que a unos dispersa a otros unifica.

La experiencia místico-sexual se hace trascendente y proporciona una experiencia cumbre de conciencia, pero no definitiva ni mucho menos permanente. De este modo, yoguis que durante años han practicado el *maithuna* un día optan por la renuncia total, se apartan de todo compañero sexual y se dedican por entero a la transformadora alquimia interior. Pero, hasta que optan por esa actitud de renuncia, cubren sus necesidades sexual-afectivas con un método que, en lugar de dispersar y desgastar las sensaciones herrumbrando el ánimo, unifica y eleva el dintel de la conciencia. Sin embargo, no es la suma de amores y meros contactos sexuales lo que abre el centro del Amor, y sólo el amor genuino y la inteligencia clara constituyen las alas que permiten el vuelo del ave hacia la auténtica libertad interior. En ese afán por alcanzar lo Inefable, el buscador se sirve de la relación sexual hasta que tal vez un día decida prescindir de ésta y poner todas sus energías al servicio del hallazgo interno. Bien es cierto que el *tantrik* nunca asumirá la continencia por un sentido de ascesis, en absoluto, sino por la decisión lúcida de trascender todos los apegos, incluso el sexual, para reconducir todas las energías hacia lo interno; y sabe, sabe bien, que la renuncia exterior de nada sirve si no se controla y contiene el pensamiento, y que, por tanto, la abstinencia sexual no representa ningún logro si no va acompañada por una continencia mental. Es decir, la actitud del *tantrik* es totalmente opuesta a la del asceta cristiano del Medievo. Da la bienvenida a todas las energías porque emanan de la Madre, incluida la sexual, pero no se deja agotar por el despilfarro o por el apego a cualquiera de ellas, y las utiliza como trampolín para catapultarse hacia lo Incondicionado. Hay un viejo adagio que reza: «Hasta un hilo de seda puede quitarte la vida», y el *tantrik* sabe que hay que ser muy cuidadoso con los apegos, incluso con los más sutiles. Con qué frecuencia se practicará el *maithuna*, eso debe decidirlo el practicante según sus aspiraciones, pero en cualquier caso no debe dejarse someter por la experiencia, sino ser dueño de ella. Se trata de manejarse lúcidamente con la pasión, y en cuanto que no sea así ya no podrá hablarse de yoga místico-erótico, sino de simple y profana relación sexual. El *tantrik* le saca al deseo todo su poder y se sirve de él místicamente para entrar en otras regiones de la psique y el espacio astral.

El *maithuna* es un método coadyuvante para el crecimiento interior. Sin duda, deviene también una práctica para el bienestar y la plenitud. Se sacraliza el sexo y se pone al servicio de la Búsqueda. Homologa la cópula cósmica y ayuda a reintegrar los opuestos y a establecerse en el sentimiento de unidad. Así, el acto sexual se convierte en un *sadhana*: ejercitamiento místico, estrategia espiritual. Toda mujer es considerada la Shakti, portadora de la fuerza secreta universal. La unión entre hombre y mujer adquiere un carácter de cosmicidad. Ella es Shakti y él es Shiva; ella es la energía cósmica y él es el *sustratum* de dicha energía. La relación místico-sexual logra modificaciones de la conciencia, aperturas de la percepción, el refrenamiento de las ideaciones y un giro de la mente que posibilita captaciones supracotidianas. Se trata de lograr una implosión energética y psicológica. El acto sexual para los tántricos desempeña un papel suprabiológico y permite recobrar una dimensión sensorial que nos pasa inadvertida y que resulta ajena a quien practica la sexualidad profana. La pareja representa el acoplamiento cósmico de Shiva y Shakti, y surge entre el hombre y la mujer un vínculo muy sutil, un lazo poderosísimo de energía indestructible, que se mantendrá aun cuando físicamente se distancien. El abrazo físico posibilita un indestructible abrazo sutil, de cuerpo energético a cuerpo energético. A la vez que los cuerpos físicos hacen el amor, también lo efectúan los astrales.

Debe llevarse a cabo la relación amorosa sin compulsión, con ánimo sereno, sentidos muy abiertos, mente muy perceptiva, conciencia luminosa. La dualidad que son hombre y mujer al principio de la práctica debe tornarse unidad a través de ella. No se trata sólo de entrar en comunicación, sino en comunión. Esta relación tiene un carácter muy especial; no se trata de la unión mundana, sino que es una relación supramundana, y de ahí la importancia de que ambos consortes dispongan de una misma actitud, y no que cada uno fluya por su lado. Este tipo de acoplamiento sexual apela a todas las energías y sensibilidades, y sólo es sexualidad iniciática real cuando la actitud mental es la correcta. Se tiene que provocar un verdadero intercambio no sólo de ternuras, sino también de energías, intimidades y mensajes más allá del lenguaje ordinario. Hombre y mujer son a la vez emisor y receptor de energías sutiles. No solamente se produce un intercambio de energías bioeléctricas, físicas y sexuales, sino también de energías muy sutiles y que ponen en estrecha relación no sólo las envolturas carnales, sino también todos los centros de energía (chakras).

El abrazo físico debe estar enriquecido y complementado por el sutil. El acto sexual-iniciático no se utiliza para satisfacer la sexualidad común solamente. Es una fiesta de los sentidos, las emociones y los espíritus. Tiene que lograrse una sincronización perfecta entre los amantes. De otro modo, es como si quedaran descolgados de lo más sutil, y sobreviene la frustración o, cuando menos, una sensación de vaciedad más cercana a la cópula ordinaria que a la tántrica. Mediante el ceremonial místico-sexual hombre y mujer se interpenetran energéticamente, y también redoblan su poder energético y energéticamente se renuevan. No debe haber ningún tipo de apego o aferramiento, y la pasión se penetra sin avidez. Las energías fluyen de uno a otro cuerpo, y no sólo la experiencia de las más voluptuosas sensaciones. La ternura debe brotar a raudales, envolvente y totalizadora. No sólo debe operar el chakra-sexual y el chakra-vital, sino de manera muy especial el chakra-cardiaco, a nivel de mucho amor y ternura, y el chakra-mental, a nivel de conciencia clara y sin ideas o pensamientos obstaculizadores. Se desencadena una comunicación de corazón a corazón, mente a mente, piel a piel, célula a célula y átomo a átomo. El aura del hombre se interpenetra con el de la mujer. La actitud interior es fundamental; el decorado externo es sólo una ayuda, un estímulo sensorial. Así, se pueden utilizar perfumes embriagadores y excitantes, la luz morada que tiñe de violeta el cuerpo de los amantes o la luz tenue de las velas, una música de carácter muy sutil y que invite al aquietamiento mental, el aroma envolvente del sándalo o el incienso... Pero es la actitud interior de entrega, disponibilidad, apertura, ternura y perceptividad la que cuenta.

La mujer externa constela la Shakti interior que en ella vive. El hombre externo constela el Shiva interior que en él mora. El consorte busca la Shakti a través de la mujer, y la consorte a Shiva a través del hombre. Se sacramentaliza el rito sexual. Al amar a la mujer, el hombre ama a todas las criaturas sintientes, y lo mismo hace la mujer al amar al hombre. Se convoca una especie de asamblea de todos los seres sintientes del universo y el pulso cósmico late en cada uno de los amantes. Hay entrega sin límites, pasión total, pero también hay ser. No hay deseo aferrante y egoísta, sino amor y «almor». No hay avidez de orgasmo, ni de satisfacción propia y meramente sensorial.

El *maithuna* es una vía hacia el despertar y no hacia el embotamiento. La conciencia no debe desfallecer. Hay que atender vivamente al consorte. La caricia adquiere una profundidad abismal. Es como si a través de las yemas de los dedos la persona quisiera captar el peso específico de cada gota de sangre y de energía del compañero/a. Es la embriaguez de la caricia. La sensación no se agota, no se enrutina, no se marchita, sino que, por el contrario, va ganando en viveza e intensidad. La mujer va despertando su Shiva interior y el hombre su Shakti interna. Ellos se aman efusivamente, crean y recrean, conforman el hijo del espíritu y permiten explorar otros niveles culmen del ser. Es más un orgasmo sutil y energético que sensorial, nervioso y físico. El hombre piensa: «Yo habito como Shiva en ti misma, querida mía». La mujer pensará: «Yo moro como Shakti en ti mismo, amado mío». Así se irán reabsorbiendo los contrarios y se trascenderá la dualidad. Podría decirse como nunca:

En el amor tántrico, el abrazo místico-sexual representa la unión cósmica de Shiva y Shakti, los principios masculino y femenino (foto del autor).

«Esos ojos que me miran son los ojos que te ven. Esa alma que me ama es el alma que te ama». No cesa durante horas el intercambio de ternuras, con creciente intensidad amorosa, el cuerpo envuelto en el fuego de la pasión, el corazón manando ternura y la mente clara como un diamante perfectamente pulido. Se despiertan energías latentes y el viaje amoroso sigue su curso, sin prisa, sin ningún tipo de urgencia. Es el maridaje iniciático y alquímico, la sexualidad sacramentada, la inmersión en la ilusión arrobadora del amor para no dejarse confundir ni detener por ella. Es el reto de los retos para el *tantrik*. Si pierde un instante la conciencia, se precipita no sólo en el orgasmo cotidiano, sino en la inconsciencia y el embotamiento, perdiendo la percepción yóguica.

Aunque cada practicante efectuará los preparativos que crea más oportunos, ofrecemos una orientación general de algunas de las características que pueden acompañar al ritual sacrosexual. La pareja debe seleccionar una estancia limpia y bien ventilada, con una luz tenue que permita ver con claridad los cuerpos de los amantes tántricos. Es preferible que haya en la estancia plantas y flores y, si es posible, adornos inspiradores, como sutiles pinturas e imágenes. Si se perfuma la estancia con un aroma agradable y penetrante, aún mejor. El perfume depende de la predilección de los practicantes. También se puede seleccionar una música suave, pero a muchas personas les roba atención y prefieren el silencio. Primero se bañan primorosamente los cuerpos y se perfuman. El baño no sólo representa una higiene física, sino que se apoya con una actitud mental de despojarse y limpiarse de todo apego, aferramiento y actitudes mentales negativas.

Hombre y mujer se colocan frente a frente, en actitud meditativa, cierran los ojos y meditan durante unos minutos. Hay que sentirse sereno, suelto, distendido, experimentando la energía que a uno le anima, sintiéndose y no pensándose, recobrando la dimensión de la propia presencia de ser y existir. Después, se abren los ojos. Mujer y hombre se observan detenidamente, la respiración serena y acompasada, creando una atmósfera de afecto incondicional, intimismo e intercambio de energía. Es el sutil lenguaje de las miradas, de los elocuentes silencios y de las energías sutiles. La mujer se convierte en intermediaria de Shakti y la sexualidad en acto sacramental para alcanzar la conciencia clarificada. Los cuerpos astrales comienzan a intercambiarse y hacer el amor. También se puede celebrar un viejo rito consistente en que el hombre echa su aliento en la boca de la mujer y ésta en la boca de aquel, simbolizando que las almas se intercambian. Este ritual de hermandad amoroso-fraternal también era observado por algunos trovadores del Medievo en Occidente. La unión amoroso-tántrica tiene por finalidad propiciar el desarrollo espiritual e inducir a estados superiores de conciencia no-ideacional, y hay que evitar que devenga un acto sexual simplemente cotidiano y común. Hay que potenciar al máximo las energías y utilizarlas como vehículo hacia el universo ultrasensible. Esta recreación de la energía debe irse alimentando con lentitud, sin compulsividad ni urgencia. Tiene que provocarse una transustancialización de la pareja. Se trata de sacralizar y sacramentar la relación amorosa. El disfrute se convierte en vía liberadora y no esclavizante. Se requiere una atención muy despierta, mucha perceptividad. La efervescencia amorosa debe alcanzar las emociones, los sentimientos, las pasiones y aun las células. Los cuerpos de los amantes constelan los principios superiores, más allá de toda individualización. Es un rito para la ascensión y el acrecentamiento de la conciencia, una alquimia erótico-espiritual. Hombre y mujer se van a unir para llevar a cabo la escenificación del apareamiento de los Dioses, y en el momento en que el miembro viril entre en contacto con la vulva se representa el punto (*bindu*) de encuentro en que estalló el universo en todas sus formas y vibraciones. Pero antes de que llegue ese momento los amantes deben entrar en situación y generar ya un poderoso campo de energía. Antes de que los cuerpos físicos se precipiten a la aventura del tacto, deben comenzar a hacer el amor las envolturas astrales, es decir, los cuerpos energéticos.

Durante los minutos de meditación el hombre puede utilizar un mantra, pero lo importante es que ritme su respiración, silencie su mente, se desconecte del universo cotidiano y visualice su Shakti interior. Es necesario purificar cuerpo, mente y corazón, y fomentar la motivación de amar a todos los seres a través del amor a la persona con la que se va a celebrar la cópula mística.

Hombre y mujer unen las palmas de las manos entre ellos y se pasan energía y amor. Luego la mujer se extiende en el lecho y el compañero la observa detenidamente y la toma como encarnación de la Diosa, del más elevado poder femenino cósmico. La contempla amorosamente, como al ser más entrañable, como al propio ser femenino que también reside dentro de él y que ahora esa criatura constela en su exterior. En ese momento ella es diosa, hermana, madre, hija, amante, novia, esposa, consorte mágica, compañera, mujer dhármica (espiritual) y absoluta. Es el cáliz del eterno femenino. Ella visualiza al hombre como si fuera el mismo Shiva, le ama como a tal y sabe que él es el reflejo de su propio Shiva interior. Los amantes se transfiguran en Shiva y Shakti. El hombre acaricia lenta y voluptuosamente el cuerpo de la mujer, transfundiéndole sus mejores energías. Las caricias se acompañan de besos de infinita ternura en todas las zonas del cuerpo de la mujer, y ésta corresponde a las demostraciones afectivas y eróticas del hombre. Ambos se implican, con voluptuosidad y sin urgencia, en un intenso y emotivo intercambio de ternuras durante largo tiempo, más allá de lo espacial y temporal, más allá del pensamiento. Se va generando (sobre todo a partir de varios minutos) un poderoso campo de energías bioquímicas y electromagnéticas de alto voltaje, que más se experimentarán cuanto más sensibles sean las personas. El hombre, en su papel de Shiva, debe mantener la conciencia siempre clara y lúcida, experimentando con gran intensidad, pero no dejándose turbar hasta lo mecánico por tal intensidad. El intercambio de caricias, ternuras y energías debe ser incesante. A oleadas, la energía se va propagando por todo el cuerpo.

Cuando se ha creado una poderosa atmósfera sexual, emocional y energética, el hombre penetra lentamente a la mujer. Los cuerpos se entrelazan muy estrechamente y toda la conciencia se enfoca sobre las sensaciones. Los movimientos deben resultar muy lentos, y a veces la inmovilidad es total durante un tiempo. Los minutos transcurren sin que el hombre se precipite en el orgasmo, aunque puede bordearlo y experimentar lo que se llama el «orgasmo de valle», que no es el orgasmo como tal y que no provoca eyaculación. El hombre controla su mente, su respiración y su esperma, y en todo momento los consortes están muy conectados el uno con el otro y se sienten parte de la energía universal. La pasión, con todo su fuego, pero plácida y no desordenada, va invadiendo el cuerpo astral, el cuerpo físico, la mente y las emociones. Es como una nube de fuego que envuelve a la pareja. Así se puede proceder durante media hora o mucho más tiempo. Los movimientos siempre muy suaves, casi imperceptibles, o incluso inmovilidad absoluta, excepto las sentidas contracciones del pene y la vagina, lo que sirve para mantener vivo el fuego genital. Cuando se crea oportuno, el hombre se precipitará en el orgasmo y entonces debe acallar su mente, suspender la respiración y conectarse con lo Inefable, mediante un total silencio interior y un detenimiento de todas sus corrientes mentales. Hombre y mujer viajan por los espacios cósmicos y el éxtasis amoroso se torna vehículo hacia el insondable poder del silencio. La conciencia se modifica, recibe un toque de energía transpersonal. La pareja se cosmiza, representando y homologando la creación cósmica, el infinito e infinitesimal juego universal.

La sexualidad sagrada se torna un puente entre lo consciente (masculino) y lo inconsciente (femenino), entre lo estático y lo dinámico, para acceder a la supraconciencia y, refundiendo las dualidades, percibir lo que está más allá de la realidad ordinaria. El acto es suprabiológico. El hombre jamás debe precipitarse en el orgasmo si no es por pura y lúcida voluntad, en lugar de hacerlo mecánicamente o a su pesar. Es un viaje de lo instintivo a lo supracotidiano y la sexualidad se utiliza como método soteriológico. Por el goce se arriba al gozo; éste tiene ya algo de místico y sublime, y parte del sabor del éxtasis religioso. Se utiliza la cópula, asimismo, para rasgar los velos de la mente ordinaria y mirar al otro lado de las engañosas apariencias. Por ello, este tipo de relación místico-sexual gira la mente, modifica la percepción y acrecienta la conciencia. Se da una intencionada y provocada supresión de las ideaciones, para poder experimentar la fuente del pensamiento, bisagra con el Ser. Se diluye el ego y brota un vacío bienaventurado, que también se obtiene con ciertos tipos de meditación. Además, se produce una revitalización de todo el organismo, y este tipo de relación no causa, como la normal, un estado de «abatimiento», sino una poderosa energía rayana en lo eufórico. Se logra una voluptuosidad e intensidad extremas, pero sin precipitarse (el hombre) en el orgasmo, en tanto que la mujer puede abandonarse a cuantas experiencias orgásmicas sobrevengan, pero sin perseguirlas ni ansiarlas. El tántrico muchas veces opta por no llegar al orgasmo o bien (si domina la técnica *vajroli*, que luego explicaremos) llega a él sin eyaculación o eyacula y luego reabsorbe su esperma mezclado con el de la mujer.

Cuando se procede a la ceremonia sexual, se rescata la luz del semen y se lleva hacia los centros energéticos elevados, potenciándose la vitalidad y renovándose todas las energías. Si no se derrama el esperma, éste se pasa a la linfa, y su energía se torna Ojas Shakti o energía liberadora. La relación amorosa dura mucho tiempo (a veces tres horas o más) y por ello no es para ser practicada con frecuencia. Además, para que las energías se potencien, es mejor efectuarla sólo de vez en cuando. Así, hay una acumulación de deseo, siempre surge la intensidad amorosa y no se produce mecanicidad, rutina o agotamiento y desgaste de sensaciones. Los *tantriks* van consiguiendo el dominio sobre la energía sexual y utilizan ésta para transustancializar el cuerpo energético. Se genera, por supuesto, una ruptura en el nivel ordinario de conciencia y se abre una mirilla hacia el Universo Paralelo. Para aumentar el deseo y que luego la relación resulte mucho más conmocionante, hay *tantriks* que durante semanas practican el tantra seco, consistente en relacionarse con la amada, pero sin contacto físico. Luego se practica el tantra semihúmedo durante días o semanas, que estriba en contactos físicos, pero sin penetración. Por último, alimentado al máximo el deseo y disparada toda la potencia de la voluptuosidad, se lleva a cabo el tantra húmedo, es decir, el ritual místico-sexual completo. En tal caso, el hombre ha de tener aún mucho más control para no dejarse descargar por Shakti. Él adopta el papel estático y ella, fuerza cinética y creadora, el papel dinámico. Shakti baila sobre el hombre, le seduce, se agita, le fascina, y él debe mantener el control sobre la energía sexual. Hombre y mujer se «shaktizan» (energetizan), pero también se «shivaízan» (se proyectan hacia lo Supremo). La mujer se torna la hembra-absoluta y el hombre el macho-absoluto: esto a nivel humano, pero a nivel cósmico son Shakti y Shiva reproduciendo el juego divino.

Hay que dejar bien claro que los manuales eróticos no son tántricos en absoluto. Son sólo eso: manuales eróticos, tales como los célebres *Ananga Range* y *Kamasutra*, que proponen decenas de caricias, besos y posiciones corporales, algunas verdaderamente acrobáticas. Para la relación tántrica se puede utilizar cualquier posición, pero ciertamente dos son las recomendables. La básica e históricamente tántrica es aquella en la que la mujer se coloca a horcajadas sobre el hombre. Él permanece sentado y ella se sienta sobre él de frente. Permite movimientos lentos y muy profundos y

resulta idónea para la relación tántrica. Los yoguis la practican en postura meditacional, y así es como se representa
en tantas pinturas indias, nepalíes o tibetanas. La mujer tiene la parte activa en cuanto a movimientos. Se convierte en
hechicera, hada, demiurga y gurú (maestra), así como iniciadora.

Otra postura muy apropiada es aquella en la cual hombre y mujer se extienden, uno al lado del otro, de frente,
entrecruzando las piernas como más convenga. Es una postura confortable, que permite besos, caricias y abrazos y que
puede prolongarse durante mucho tiempo. Permite movimientos lentos y voluptuosos o la inmovilidad total. Se puede complementar, como anteriormente decíamos, la inmovilidad con contracciones del pene y la vagina para que no
disminuya la voluptuosidad.

EL VAJROLI Y EL SAHAJOLI

Existe una modalidad de yoga que, aunque es la más conocida en Occidente, también ha sido a menudo la más
deformada o peor expuesta. Nos referimos al *hatha-yoga* o
yoga psicofisiológico, donde se trabaja sobre el cuerpo, sus
funciones y energías para acrecentar la conciencia. Este
yoga dispone de métodos de excepcional precisión para
influir sobre todas las zonas, músculos y órganos del cuerpo.
El practicante aprende, incluso, a influir sobre su muscula-
tura semiconsciente o inconsciente. Así, ha habido *hatha-
yoguis* capaces de influir sobre su pulso, su corazón, la circulación de la sangre, los movimientos gástricos y demás. Han

demostrado sus proezas fisiológicas sometiéndose a la comprobación del más sofisticado instrumental científico.

Entre las técnicas numerosísimas con que cuenta el *hatha-yoga* hay algunas que están encaminadas a influir sobre el centro de energía sexual y los músculos relacionados directa o indirectamente con el aparato genital y con el recto. Mediante un entrenamiento adecuado, el hombre puede llegar a provocar poderosas contracciones en el pene y la mujer en la vagina. Él, además, puede llegar a dominar de tal manera algunos de sus músculos que es capaz de experimentar el orgasmo sin acompañarlo de eyaculación, mediante un control muscular que le permite evitar que el esperma se desparrame. Pero incluso hay yoguis que, mediante una técnica conocida como *vajroli*, pueden crear un vacío en la vejiga que les permita reabsorber su semen, mezclado con las sustancias femeninas, tras haberlo derramado en la vagina de su compañera. Para llegar a la conquista de esta técnica se requiere pasar por otras conocidas como *Uddiyana-bandha*, *Nauli* y *Basti*, que deben aprenderse directamente de un maestro. No obstante, podemos enseñar aquí dos técnicas que están exentas de cualquier riesgo y que son sumamente favorables para la salud y para propiciar el control sobre los músculos genitales. Estas técnicas enseñan a la mujer a contraer con firmeza sus músculos vaginales, es decir, a perfeccionarse en el arte del *sahajoli*, lo que redunda en un notable placer para sus compañeros. Cuando en el ritual místico-sexual se inmoviliza la pareja, se utilizan las contracciones de pene y vagina para mantener más avivado el fuego de la pasión.

Una de las técnicas es denominada *mulabandha* y consiste en (sentado o acostado, incluso de pie) contraer muy vigorosamente los esfínteres anales, poniendo especial atención para que no sólo se contraiga el externo, sino también el interno. Se efectúa la contracción durante diez o quince segundos o más, y luego se relaja, para volver a repetir la técnica. Puede ejecutarse esta técnica un buen número de veces, pero sin forzar. Cada día las contracciones serán más intensas. La otra técnica se denomina *aswini-mudra* y consiste en contraer y relajar alternativamente los esfínteres anales. Se contraen y se relajan, se contraen y se relajan. Pero después de relajarlos hay que propulsarlos hacia fuera tanto como sea posible; es decir, se contraen tanto como se pueda y, tras la contracción, se proyectan hacia fuera también tanto como sea posible. Pronto se perfeccionará la técnica con un poco de práctica asidua.

EL TOQUE DE LA SHAKTI

La Shakti está en toda mujer, pero cada hombre percibe la Shakti más en unas mujeres que en otras. Hay mujeres (u hombres para las mujeres) que despiertan al pronto un sentimiento profundo que alcanza al cuerpo, a las emociones y a los sentimientos. En ocasiones, hay una mujer que el hombre al instante siente para él como especial, aunque se trate de un encuentro muy fugaz, y que deja como transida el alma, turbando los sentidos; uno experimenta como si reconociese a esa mujer más que la conociera por primera vez. Se despierta un sentimiento que altera, casi confunde; tan intenso es que resulta casi doloroso, y cuando menos uno tiene la sensación de que esa mujer le transportaría a dimensiones inefables de amor y ternura. Es como si ese

El Divino en su danza cósmica, como manifestación
del andrógino (foto del autor).

hombre y esa mujer tuvieran poderosas conexiones del pasado. Cuando se produce ese sentimiento recíproco, incipientemente ya se trata de una relación tántrica o de una que se puede instrumentalizar para el crecimiento interior. También puede ser una relación muy intensa pero mórbida, donde se pongan al descubierto todas las carencias propias y brote no lo mejor de los que la forman, sino sus sentimientos más feos, cargados de aferramiento, posesividad y demás. Muchas relaciones intensas acaban de manera dramática, y la ruptura supone un terrible desgarramiento para el miembro de la pareja que no se ha desenamorado y se quiebra anímicamente ante el objeto amoroso en huida.

El amor tántrico y todas las corrientes tántricas de amor dispersas no sólo por Oriente sino también por Occidente se han afirmado, a menudo, como extraconyugales y, desde luego, anticonvencionales. Depende del tipo de relación que el buscador quiera tener con la buscadora: ya se trate de una relación para el *maithuna* o cópula místico-sexual, una para desarrollar el amor consciente y de vida, una basada en un intenso afecto sólo platónico y de amistad fraterna o una para peregrinar conjuntamente hacia significaciones más altas. Dependiendo de ello, el hombre (y la mujer en su caso) se satisfará con un tipo de relación u otro. Bien es cierto que todo buscador místico tratará de hallar lo que se denomina una mujer dhármica (es decir, ella también con inquietudes de elevación interior), como todo hombre deseoso de sublimes experiencias amorosas buscará su Reina de Saba (o ella su Salomón), es decir, la mujer soberbia y mágica que él sienta prodigiosa para proyectarle a un universo de fascinación sensorial y sublimidades emocionales.

Para el *tantrik* la mujer es como una diosa que le otorga energía, motivación y poder. La mujer externa ayuda a descubrir la mujer interna, la propia Shakti. El *tantrik* propicia la intensidad del deseo para que la explosión-implosión sea más intensa y conduzca la mente más allá de lo ideacional y conceptual. Todo ello se incorpora a la búsqueda interna, y por eso el tantra es un *sadhana* o entrenamiento místico y no un mero pretexto o justificación para abocarse al largo desenfreno de los sentidos que herrumbra el ánimo más que lo tonifica. Se buscan energías extra para proseguir el viaje de la conciencia, para no desfallecer en la aventura hacia lo Inefable. Se entra de lleno en lo fenoménico para nirvanizarlo e iluminarlo. Grandes yoguis, lamas y buscadores han tenido una compañera, al menos durante un tiempo. Unos han mantenido relaciones sexuales con ellas y otros no. Pero el toque de la Shakti es muy necesario para muchos buscadores. Bien es cierto que esa Energía Cósmica Femenina se halla tan cerca de nosotros que fluye por nuestra propia yugular, pero a veces es necesario reflejarla en una mujer exterior. Son muchos los hombres que buscan, aun sin saberlo, la Shakti en forma de mujer. De ahí que hace años, en la India, y bajo un atardecer de oro en la espesura de la vegetación sureña, escribiera un texto sobre esa gran interrogante que es SHAKTI EN FORMA DE MUJER, y que ahora transcribo:

Nosotros la llamamos Shakti y es el brasero que alumbra el universo, y es calor, y es fuerza, y es vida. Tiene nombre de mujer. Es la energía universal femenina. Tú no la tomas; ella te toma a ti. Y se disfraza de mujer y es como una bailarina que a cada giro te fascina, te roba y te ofrece la vida, te hace morir para volver a vivir.

Ella es Shakti, la fuerza universal, la sangre, la savia, el abismo, el vértigo, la suprema energía, el aliento. Hasta el mismo Shiva puede perder la cabeza cuando Shakti danza ante él. Ella desencadena fuerza, vigor, conmoción. Te somete a una pequeña muerte para poder hallar después el gran renacimiento.

Hay un secreto: Shakti. Hay un signo más allá del signo: Shakti. Hay una vibración sin medida: Shakti. Es prodigiosa, es mágica. Es la Diosa que se refleja en la mujer y te puede colmar de una pasión sin límite.

Como la imagen en el espejo, Shakti está en todas las mujeres. Pero, sí, sin duda, sólo en algunas de ellas se manifiesta en toda su plenitud. En la mayoría permanece muda, silenciosa, como en la mayoría de los hombres Shiva permanece callado. Aun los yoguis se estremecen cuando surge la Shakti en forma de mujer. Ella es la gran interrogante, el reto, el néctar-veneno que te permite acceder a la suprema sabiduría o te desploma en la sima más oscura. Ella es el amor mágico, el gran viaje que te libera o te encadena. Ella dinamiza tu ser, transfigura tu sexualidad, afina las cuerdas de tu alma. Es el rayo, la nube fluídica, el éxtasis de potencia generatriz, el orgasmo universal divinizado. Ella es la gran hechicera que te reconstituye o te destruye. Puede ser instrumento de liberación o también la mano que te conduce a la caverna de la desesperación. Si la ves, la reconoces en el acto. Exhala fuerza como el Sol exhala su luz y la rosa su aroma. Ella es la sacralización del amor, la pasión predestinada. Puede ser tu luz, pero también, ¡estate alerta!, puede convertirse en la más patética de tus tragedias. Puede parecerte ingenua y débil, pero no confíes. Sabe que es la puerta al paraíso, pero también la puerta al dominio de las tinieblas.

Shakti en forma de mujer... ¿Quién no la busca desesperadamente? ¿Quién muchas veces al buscarla no se pierde? Te puede conducir a la victoria; te puede conducir a la desintegración y al fracaso. Shakti en forma de mujer... ¿Quién no la busca frenéticamente, quién no quiere hacerla su compañera de viaje durante algún trecho de esta existencia? ¿Quién no ansía duplicar la propia fuerza con ella, convertirla en fuente de mensajes ocultos, utilizarla como instrumento de liberación?

Si la encuentras en forma de mujer, ten cuidado. Te entregarás a un intercambio de ternuras sin fin y ese amor mágico puede hacerte volar hacia la eternidad o hacia el abismo. Es Shakti prodigiosa, te imanta, te fascina; mitad divina y mitad humana, tiene la capacidad de despertar tu sensibilidad y se te ofrece a la vez iniciática y profana. Ahora es dulce, ahora es acre. Se funde con tu aliento, penetra en tus sentidos, navega por tus interioridades. Si te sometes, ¡ay de ti!, pero si te propones acabar con ella estarás intentando asesinar tu propio ser. Al abrazarla, abrazas a todas las mujeres de este mundo; al tomar su mano, un gozo extático te invade; al besar su rostro, en cada poro ves el rostro de todos los seres sintientes. Si la amas, ya estás sobre arenas movedizas. Esa aproximación sexual te procurará paz inefable o tal vez la confusión y la desesperanza. Sólo los héroes no sucumben, porque ellos han aprendido a convertir las cadenas en alas de libertad y en liberación aquello que esclaviza al hombre común.

Si te crees capaz de arrancar la flor de loto sin mojarte las manos, intenta la aventura de saborear la Shakti en forma de mujer. Si dudas, mejor ignórala y piérdete el hechizo de su fuerza y de su amor, que es una fiesta suprema. Pero tampoco importa si te has ganado a ti mismo.

La mujer, para el tántrico, es energía que le ayuda a transformar la energía en su interior; es crisol y elixir alquímico. Puede dejar en el alma una huella profunda, indeleble... para bien o para mal. Se perfuma con un aroma de eternidad; representa la mística de lo femenino y proporciona gran alegría o gran pesar. Es constructora y destructora. Pero si la mente está clara y el corazón dispuesto, la destrucción es siempre constructiva. Ayuda a matar el ego, a superar la autoimportancia, a liberarse de la falsa autoestima narcisista y, en suma, a crecer. Ella puede tornarse la consorte cósmica, la aguerrida valkiria, la ladina Circe, la candorosa Penélope o la muy astuta Morgan le Fay. Ella representa lo humano y lo transhumano, lo comprensible y lo indescifrable. Simboliza la mujer absoluta y embriaga los sentidos, desorganiza el pensamiento, desestructura la psique profunda y ayuda a renacer. El arrobamiento intenso puede producir un estado de desorientación insuperable, pero también una gran fuerza para trascender. Esa sensación de goce nos lleva a comprender el gran gozo del místico, el contento insuperable del que se une a la Totalidad. Pero el enamorado tiende a hacerse como un insecto revoloteando alrededor de la llama de la vela; el secreto residiría en no quemarse. O quemarse para renacer a una dimensión de conciencia-sentimiento diferente. A través de la mujer constelando la Diosa, el *tantrik* llega al Divino. Como dice bellamente Rumi: «Le apuntó a una imagen y dio en Dios».

Una mujer es un riquísimo caleidoscopio de actitudes, reacciones, comportamientos, tendencias, personalidades... A veces, no puede ser comprendida (ni mucho menos aprehendida) a través del limitado y disecador intelecto. Hay que mirarla, conocerla y vivirla. Observándola con detenimiento y casi voluptuosidad, uno ve en ella todas las facetas de la Diosa amorosa, protectora, vigorizadora, maga, iniciadora, liberadora, implacable, conservadora, destructora, insobornable, sumisa, desafiante, revitalizadora, insuperable. Ella tiene el sabor del misterio y es el misterio mismo. Está capacitada para atar y también para desatar. Posee una fuerza especial y que no le pertenece, porque también es espacial y transtemporal.

Son aquellas mujeres que no podemos poseer las que más estimulan el sentido del misterio, la amarga frustración y la desesperanza; mas para el guerrero son banco de pruebas para crecer, madurar, desarrollarse y asumir la propia e inmensa soledad de ser humano. No es una soledad abrumadora y destructiva, sino que tiene su propia fuerza de integración. Desde luego, el amor que no puede poseerse ni dominarse llega a ser el más intenso, y a menudo también el más seguro, porque ni la sensación se agota (produciendo el desamor) ni estamos tan al alcance de la otra persona que nos pueda manipular a su antojo si lo desea y somos débiles (y siempre terminamos siéndolo si no hemos superado carencias internas). Un yogui indio declaraba: «Si alguien te gusta, mantente lejos de esa persona y te seguirá gustando siempre». Y uno gustándole a ella. Tal vez ésa era la artimaña inteligente del trovador, y como dice John Steinbeck en *Los hechos del rey Arturo y sus nobles caballeros*: «Es más seguro amar a quien no se puede poseer». Pero ¿quién puede asegurar que él toma el amor y el amor no le toma a él, como una fuerza implacable, como un destino inexorable? Y ahí es donde el *tantrik* se deja llevar, no huye ni rehuye, no se atrinchera y aprende a fluir... pero con conciencia lúcida y no como una hoja a merced del viento de la pasión. Aun en ese hechizo o encantamiento que es «caer en el amor» (enamorarse), trata de mantener un punto de luminosa conciencia. Así, el destino del amor no ejerce sobre él un poder total; halla libertad en la arrolladora fuerza del destino amoroso. Tal vez sufra, pero será el suyo un sufrimiento creativo, sin lugar para la ñoñez o la autoconmiseración. Y aun en la locura de amor tratará de mantener un punto de cordura. Porque el amor es hacia el Amor, y el deseo es poder para trascender todo deseo, apego o aferramiento.

Se utiliza esa gran fuerza como lanza y escudo para vencer las negatividades de la mente y del carácter. Entonces el amor no ciega del todo, no debilita, no confunde. Un amor así no cierra caminos; los abre. No vela; desvela. El gran misterio femenino nos da la guía para dilucidar otros misterios. Para el *tantrik*, la mujer se torna iniciadora, otorgadora de energía, mapa espiritual, núcleo de sabiduría. Apreciamos el desbordante placer que nos puede hacer sentir como una mínima muestra-referencia del enorme contento que produce la liberación mística. Voluptuosidad, lascivia, frenesí erótico, apasionamiento explosivo, todo ello revoluciona interiormente y abre a otras realidades. Es cierto que si la sexualidad es compulsiva, hueca, repetitiva y anti-iniciática, resulta un acto tan banal como escupir. En tal caso, hastía, vacía, desertiza y desvitaliza. Nada detesta tanto el *tantrik*, y todo buscador serio, como esa totalmente desacralizada sexualidad que en muchos hombres se torna un compulsivo afán coleccionista de contactos sexuales, carentes de calidad, intrascendentes y ni siquiera divertidos, porque, las más de las veces, cumplen funciones psicológicas más que biológicas.

A través de la unión sexual se llega a otro tipo de unión. Al penetrar a la amada se tiende un puente hacia todos los seres; y ella también lo tiende al ser penetrada. Se gana goce, pero también gozo. El primero no modifica, pero el segundo deja huellas profundas en la psique. Al revestir la sexualidad con un carácter de trascendencia, nos forma y nos madura. La caricia retorna toda su profundidad bendita, el beso es modo de comunión, la cópula es un intercambio de ternuras y de almas. Para el *tantrik*, hasta la sangre menstrual tiene un significado iniciático, como para la *tantrik* lo tiene el semen. Son sustancias que en el rito iniciático toman un carácter demiúrgico. Pero jamás hay nada de burda obscenidad, y mucho menos de grotesca lujuria. Los dioses se aman a través de los hombres y de todas las criaturas sintientes. Está en los códigos evolutivos. Cuando vemos cómo un pato le hace el amor a una pata, nos damos cuenta de que él con su hermoso pico sabe hallar las zonas más erógenas en el cuello y la nuca de la pata: esas mismas zonas erógenas que persisten en la mujer. Lo que hace el *tantrik* es no dejarse ser un mero mecanismo programado en la evolución biológica, sino darle un toque de conciencia a la biología y disponerse para recrear una suprabiología antimecánica y liberadora.

La conciencia va ganando la batalla a la inconsciencia. No es que el placer nos tome, sino que lo tomamos. La vida ya no nos vive, la vivimos. Se produce una reinversión de códigos e incluso la cópula, para la mayoría mecánica y arrebatadora, se torna lúcida y controlada. La compañera de rito es la joya de trascendencia, el diamante en cuyas primorosas caras se reflejan los rostros multivariados de la Diosa, y de la vida. Fornicar por fornicar (follar, como se dice en el lenguaje vulgar, pero significante y significativo) es o se torna sumamente aburrido, como tricotar hora tras hora en una fastidiosa tarde de domingo. Restituir la sexualidad a su dimensión preciosa es lo que ha hecho el tantrismo desde hace siglos. La ceremonia transfigura, pero no toda persona quiere ser transfigurada. El macho gusta a menudo de ir haciendo muescas en su revólver fálico para reafirmar, neuróticamente, su masculinidad. Así, en sus relaciones físicas no mira el rostro de la Diosa de la Aurora, sino el feo rostro del hastío y la vaciedad. En cambio, cuando el amor bioquímico y emocional va acompañado por el amor consciente y colabora en el crecimiento de los componentes de la pareja, entonces destila energía y sabiduría. Amar biológicamente está al alcance de cualquier persona, pero amar suprabiológicamente es sólo para unos pocos. La mística del amor es ciencia y arte. El amor místico es inefabilidad y sublimidad. El amante ansía la unión, ya sea con la persona amada o con el Ser amado. Ese amor se convierte en el aliento del aliento; es más ardiente que una brasa, pero a la vez más sutil que la nube más clara y esponjosa.

Hay un cuento indio. Se trata de un enamorado que llama a la puerta de su amada y, cuando ella pregunta quién es, él responde:

—Soy yo, tu amado.

Y ella replica:

—Vete; todavía no sabes amar. No te abriré la puerta.

Transcurren los años. El enamorado vuelve a casa de la amada y llama a la puerta. Cuando la amada pregunta quién es, él responde:

—Soy tú, amada mía.

Y ella dice:

—Entra, rey de corazones, porque no había lugar en esta casa para dos.

Mística es unidad y la unidad es mística. La mística del arte, del amor, del anhelo del Divino... La ausencia de sí para hallarse en el Sí. La negación de uno mismo para encontrarse en el Ser. Pero cualquier locura de amor, cualquier *folie à deux* (incluso la del devoto y Dios), si no es locura pasajera y reorganiza la psique a un nivel más alto, se torna peligrosa y hasta destructiva. Cuando un caballero del Medievo consagraba su vida a la amada no era para embelesarse de manera tal que le inutilizase, sino para multiplicar sus fuerzas en la búsqueda de lo Sublime.

Para el enamorado común siempre hay un miedo subyacente o temor sutil de perder a la amada o ser abandonado por ella, y cuando se provoca la ruptura sobreviene desolación sin límite y es como si todo se eclipsase. Para el que ama tántricamente no es así. Ama el amor, a cada ser, a todos a través de la amada, y a la amada, se encuentre ella con él o no. Cuando se ama desde el ego no se produce una cercanía real aunque dos personas estén todo el rato una en los brazos de la otra. Es un amor en paralelas, buscando la propia gratificación. Cuando el amor es desde el ser, se torna transformador; y aunque uno se encuentre lejos del ser amado (o incluso el ser amado no le ame a uno), hay cercanía. Pero el amor sagrado tiene sus leyes, aquellas que el amor profano ni conoce, ni comprende, ni quiere a menudo siquiera conocer. La pasión del fuego es purificadora cuando no es encadenante o destructiva. La persona que nos proporciona placer es un alma que opera a través de una envoltura carnal. De nada sirve llegar al cuerpo si no es posible entrar en el alma, en aquello que anima a ese cuerpo. En realidad, la belleza física sólo tiene la espesura de la piel. No hay conejo desollado que sea bello en la apariencia. El juego del amor físico se desgasta, como la joven doncella envejece. Pero el amor capaz de transportarnos a la otra orilla ni se agota ni se pierde. La mujer loto, la Padmini, es aquella que, sobre todo, es bella por dentro. Con ella no es posible entablar una guerra de egos, sino celebrar una fiesta de ternuras, cooperaciones y confidencias.

Un hombre amaba profundamente a su compañera, que no era precisamente bella. Tenía la cara, desde niña, picada por la viruela. Eran aquéllas, con esa mujer, noches de amor y pasión, de entregas sin medida, de carne y espíritu. Y un amanecer ella le dijo: «Amado mío, mi muy amado, cuánto lamento que mi piel no sea suave como un nenúfar para tus besos». «Por qué dices, mi muy querida», preguntó el hombre extrañado. Y ella, intuitivamente, comprendió al punto que él jamás había deparado en sus feas señales. Había mirado más allá y, así, ¡oh bienaventuranza!, la había encontrado realmente a ella. El mismo audaz conquistador Casanova ya decía que «la mujer, como la manzana, no siempre la más bonita es la que mejor sabe». La cultura mágica y tántrica del amor nunca hubiera podido ser comprendida por Freud y sus colaboradores. Jung ya tenía un entendimiento diferente. Cuando el orgasmo no es sólo un *petit attaque épileptique*, sino un vehículo de trascendencia, entonces es instrumento liberatorio, y el fuego de la vulva es elixir de vida espiritual.

Había un gran místico. Llevaba muchos años meditando. Era un gran ser, pero nunca había tenido la gracia de experimentar el toque de la conciencia de gozo sublime. Había llegado a dudar de que existiera; su fe y confianza se resentían. Pero conoció a una ermitaña. Meditaron juntos durante semanas. Ella percibió, con el ojo de su intuición, que él dudaba de los estados superiores de la conciencia. Una noche de luna llena, la mujer le tomó y le reveló grandes misterios del amor. El hombre sintió una nube de éxtasis amoroso y comentó: «¡Qué sentimiento de plenitud, qué sublimidad!». La mujer le besó en la frente y le dijo: «Ya no me necesitarás más. Lo que has sentido, amigo mío, es sólo una nimiedad en comparación con el estado que puedes experimentar con la iluminación. Hoy has descubierto un minúsculo lado de la Unidad. Imagina cómo será cuando seas tú mismo la Unidad». El toque de dicha que proporciona la unión carnal genuina es «botón de muestra» del *ananda* o gozo espiritual. Pero debe superarse todo egoísmo en la práctica amorosa, pues no hay nada que extravíe tanto. Al amar en apertura uno recobra cierta condición divina. El gozo de la identidad sobreviene cuando no hay «yo» o «tú». La pasión acentuada y consciente provoca una ruptura en el nivel ordinario de la conciencia y se da un salto hacia lo Otro.

La asociación del amor mágico, el amor consciente y el amor tántrico y suprabiológico, a la luz de la inteligencia y la compasión, conducen al amor absoluto. Desde ese amor absoluto uno desea que todos los seres sean felices. Ahí comienza una gran metamorfosis. Las palabras no pueden ir más allá.

5

EL YOGA SEXUAL EN EL

Taoísmo

CHINO

El yoga es método para la reunificación, el acopio y el aprovechamiento de las energías, incluidas las sexuales. Como tal método de aprovechamiento energético, autoconocimiento, ensanchamiento de la conciencia y autorrealización, ha sido incorporado y utilizado por muchos sistemas filosófico-religiosos, tales como el hinduismo, el budismo, el zen, el budismo tibetano, el taoísmo y otros. El yoga tántrico también fue recogido desde hace siglos por el taoísmo chino, y muchas de sus técnicas para la transmutación de energías y la alquimia interior se han perpetuado hasta la actualidad en su seno.

Las actitudes yóguicas, las técnicas respiratorias, el dominio psicosomático, los procedimientos de transmutación de energía han venido utilizándose sistemáticamente en el yoga chino, pero poniendo una especial insistencia en la aplicación de estos métodos no sólo como medios de autointegración y elevación espiritual, sino también para

En el taoísmo chino, la energía sexual se aprovecha para
estimular las energías corporales y mejorar la salud.

mejorar la salud corporal, incrementar y armonizar las energías y favorecer la longevidad. Se ha puesto un gran énfasis en la vitalidad y la juventud, y se han propiciado técnicas de control somático, psicosomático y mental para recargar consistentemente todas las energías en el denominado «campo de cinabrio inferior», que se halla por debajo del ombligo, para, desde aquí, propulsar las energías enriquecidas y acopiadas hacia los centros psíquicos más elevados. Se utiliza un buen número de técnicas de revitalización y se pone especial atención en el cuidado del cuerpo, la dieta, la respiración y, de manera muy concreta, la conservación del líquido seminal. Se considera que la cópula asumida bajo determinadas condiciones no sólo no favorece los apegos encadenantes, sino que ayuda a desarrollarse anímica y energéticamente. Se estima así la sexualidad, aplicada en un sentido taoísta, como fuente de salud, longevidad y acrecentamiento de la conciencia. No se rehúye la relación sexual, en absoluto, sino que se utiliza como medio de autodesarrollo y energetización. Se considera que el aprovechamiento de los líquidos seminales (de hombre y mujer) puede colaborar en el retorno al Origen, es decir, se pueden utilizar como elixires de salud y vitalidad, y también como trampolines para catapultarse hacia la Unidad. Pero, si bien el yoga tántrico indio pone todo el énfasis primordialmente en la instrumentalización de la sexualidad para aproximarse a la autorrealización, el yoga chino insiste más en hallar una fuente de vitalidad, energía, bienestar psicofísico y plenitud anímica mediante la conjunción armónica del yin y el yang.

El tantra indio confiere al sexo un carácter mucho más metafísico e iniciático que el yoga taoísta, más preocupado por el disfrute sin apego y la búsqueda de medios para mejorar el tono vital, energetizarse y prolongar la juventud. Se utiliza la energía del sexo para, reinvirtiéndola, potenciar todas las energías corporales. Si bien se pretende una fusión de los principios masculinos-femeninos (la interpenetración yin-yang), capaz de abrir la mente a otras realidades vedadas para la percepción ordinaria, también se trata de acumular importantes energías y trasladarlas al cuerpo sutil-energético para mejorar la salud, el tono vital y el curso de las energías psicosomáticas. Se va creando un caudal de energías poderosas, como un reservorio de potencias, en el campo de cinabrio inferior y, recreando estas energías con métodos de control respiratorio, alimentación sana, técnicas apropiadas de visualización y dominio sobre el fluido seminal, se consigue una poderosísima energía que, reorientada hacia lo alto, permite un excelente nivel de eutonía y el reencuentro con el propio poder nuclear. Las energías almacenadas en el campo de cinabrio inferior se reimpulsan hacia la concavidad central del cerebro y se obtienen ciertos fluidos supraenergéticos de gran eficacia para la juventud y la longevidad. Se consigue así la conquista del Cinabrio Superior mediante el control y reorientación adecuada del cinabrio inferior.

Pero, si el esperma se derrama a menudo, el campo de cinabrio inferior se empobrece y se pierden energías y vida. La interrelación amorosa ha de convertirse en un intercambio de energías, una recíproca transfusión de fuerzas. La mujer toma la energía masculina del hombre y el hombre la energía femenina de la mujer. Ambas se fusionan, se reinvierten y aprovechan. El miembro viril (tallo de jade) penetra la vagina (puerta de jade) para celebrar no un simple y profano acto sexual, sino un acto sexual transformador y alquímico. Sólo de vez en cuando se permite el hombre eyacular.

La mujer sí puede llegar a tantos orgasmos como desee, porque ella no arroja fuera de sí el semen femenino, sino que lo vuelve a reabsorber y lo aprovecha vital y energéticamente. También el hombre, si no se precipita en el orgasmo, aprovecha la fuerza suprasutil del semen femenino y obtiene vitalidad, vigor y larga vida.

Ni que decir tiene que la relación sexual taoísta exige dominio mental y sensorial. También se sintonizan los ritmos respiratorios de los participantes y se crea un campo de energía sexual intenso. Hombre y mujer, al acoplarse, matrimonian las energías yin y yang. Alargándose y recreándose la cópula, deviene una interrelación pasional y energética muy poderosa. La mujer se sirve vitalmente de sus secreciones, pero el hombre debe impedir que se desparramen las suyas y utilizar esas sutiles energías para revitalizarse somática y anímicamente. No obstante, se permite de vez en cuando el orgasmo con eyaculación, y aquellos que dominan el orgasmo sin que éste conlleve la eyaculación correspondiente también lo disfrutan.

Para conquistar el orgasmo sin eyaculación, se sirven los practicantes del dominio de técnicas yóguicas que les permiten alcanzarlo pero reprimiendo el líquido seminal. La cópula, que se demora considerablemente, permite un disfrute mucho mayor para la mujer, sobre todo si consideramos que, según modernos informes, un porcentaje elevadísimo de hombres eyaculan en menos de tres minutos tras la penetración, dejando a menudo muy insatisfechas a sus compañeras, toda vez, además, que la mayoría de las mujeres son o pueden ser poliorgásmicas. Por otro lado, cuando el hombre no eyacula, no es víctima del cansancio o «abatimiento» poscoito, sino que se siente eufórico y lleno de energía. Por mucho que la mujer repita sus orgasmos, sus secreciones (portadoras de energía yin) no salen de ella y no se resiente vitalmente, pero con el hombre (cuyo semen es portador de energía yang) es diferente, salvo que domine la técnica *vajroli* y pueda reabsorber su esperma. Se va logrando así una transmutación de las energías sexuales y ultrasutiles. Como además se trata de obtener la máxima intensidad amorosa, los taoístas se sirven de gran número de posiciones corporales, técnicas eróticas e incluso afrodisiacos.

El abrazo carnal tonifica y revitaliza. La mujer es otorgadora de energías fabulosas no sólo para la transformación interior, sino para rejuvenecer y prolongar la vida. La energía de la mujer es superior a la del hombre. Esa misma energía puede utilizarla el hombre, si se sabe instrumentalizarla, y mejorar así todos los humores corporales (flema, sangre, linfa...) e incluso rejuvenecer las neuronas o células cerebrales. Para ello se requiere una relación amorosa libre de antagonismos y presiones, madura y, sobre todo, que permita poner en práctica el coito alquímico. El hombre debe ser dueño de su conciencia, manteniéndola clara y ecuánime a pesar del gran disfrute que proporciona una cópula demorada y sensitiva. El semen se conserva para otros fines que los procreativos.

Se ama a la mujer por sí misma, y no como hembra procreadora. Cuando la cópula es mística, el amor que surge es tierno y a la vez pasional, envolvente y profundamente humanizado. El acoplamiento físico va acompañado por el del yin-yang, incluso precedido, porque yin y yang comienzan a maridarse con los preliminares amorosos, que deben ser lentos y voluptuosos, con diestras caricias sensitivas y una atención viva y despierta. Tiene que lograrse una óptima sintonización y sincronización. Entonces, la relación sexual-amorosa resulta entrañable, revitalizante e incluso terapéutica. Prolongando e intensificando el abrazo amoroso, la mujer halla una satisfacción mucho más plena, se enriquece la relación humana y de cariño, y hombre y mujer logran repotenciarse a través de la cópula.

Una relación sexual de este tipo altera beneficiosamente la conciencia, el temperamento e incluso las funciones fisiológicas. Las energías yin y yang se intercambian a nivel de célula y átomo. Sólo de vez en cuando el hombre procede a eyacular. Mediante la respiración pausada y controlada, la atención a la mujer y no a los genitales, el dominio del pensamiento e incluso la pericia de las contracciones del pene, el hombre evita el orgasmo, pero puede, en cambio, disfrutar de pequeños orgasmos que no producen eyaculación. Es importante, además, realizar movimientos lentos o pausas de detención.

También en el taoísmo (sobre todo en el taoísmo de antaño, sin duda el más puro y original) han surgido muchos hombres que han renunciado a la vida sexual para transmutar las energías sexuales en espirituales. Pero, para que la continencia produzca un beneficio en este sentido, jamás debe ser el resultado de la represión y ha de conllevar, además, continencia del pensamiento. No obstante, sólo algunos, por su gran motivación mística, están maduros para la renuncia sexual, pudiendo así liberarse de todo apego amoroso-sexual y entregarse por entero a la búsqueda interior. El mismo Jesús señala que esa renuncia sólo es posible para algunos. La mayoría de las personas tienen vida sexual o la desean. La sexualidad taoísta propone unos métodos para instrumentalizar la relación sexual hacia la integración, la vitalidad y la relación no sólo de cuerpo a cuerpo o carne a carne, sino de corazón a corazón y espíritu a espíritu. Ese vínculo perdura, porque la pasión exaltada y frenética puede perderse como una gota de rocío al entrar el día, pero nada ni nadie puede agotar el amor de ser humano a ser humano.

6

LA SENDA DEL

Amor

INICIÁTICO

La misma energía que se halla en el universo es la que anima al ser humano y a todos los seres. Esa energía es la Suprema Madre, o Shakti, para los maestros indios, y en su modo original de ser es la sustancia informe y primordial que, debido a su carácter dinámico, se despliega y configura todas las formas y energías (*shaktis*). La Shakti (Poder) y sus *shaktis* (energías), configuran todo lo existente. Las pasiones y sentimientos son *shaktis*, energías. Tanto los positivos como los negativos. La *shakti* más poderosa, alquímica, iniciática y transformadora es el verdadero amor. Su opuesto es una *shakti* muy destructiva y peligrosa: el odio. Como hemos indagado en el capítulo anterior, la mujer adquiere, en el tantrismo (y también en otras corrientes de amor iniciático), el carácter de receptáculo de la energía cósmica, y ella misma es vehículo iniciático para el buscador de realidades supremas, punto de apoyo para trascender a otros planos de conciencia. Así, la mujer es soporte meditativo, pero también signo iniciático, pues la iniciación es siempre un transvase de poder o energía, como la vela que con su llama ilumina la que estaba apagada. El culto a la Diosa representa un proceso de amorosa identificación con la Diosa misma, porque así nos otorga su energía. Cuando un *tantrik* con aspiraciones genuinas busca a una mujer (si es dhármica tanto mejor, es decir, si ella también es una buscadora espiritual), lo hace porque ella no sólo se torna consoladora compañera de trayecto iniciático, sino que proporciona energía motivadora e iniciática. Así, en el tantra, además del ritual místico-erótico, hay otro que se denomina *chakra-puja* y que consiste en que un grupo de personas se sienten en el suelo en círculo y en el espacio interior se sienten, uno junto al otro, un hombre y una mujer, en meditación, simbolizando a Shiva y Shakti, es decir, el principio masculino cósmico y el femenino cósmico. Se celebra en tal rito un ágape colectivo (para transustancializar los alimentos y utilizarlos como medio de cosmización) y se lleva a cabo una ceremonia de adoración a la Shakti. Se trata de un método liberatorio, y un antiguo texto explica: «Quienes adoran a la Shakti, ya sea regular o irregularmente, no están atrapados en el universo fenoménico y sin duda son las almas liberadas».

En la medida en que adoramos a la Shakti, potenciamos nuestra *shakti* interior; en la medida en que buscamos la mujer absoluta, invitamos a la mujer absoluta interna a que se manifieste. La boda interior representa el encuentro de Shiva y Shakti en nuestra interioridad. Nos llenamos del néctar del amor y ponemos fin a la insatisfacción que gobierna nuestra mente. Los antiguos maestros orientales explicaban que dentro de todo ser humano hay un cuenco vacío y que uno debe llenarlo para dejar de experimentar insatisfacción, soledad y temor. Muchas personas lo intentan siguiendo derroteros que no conducen a tal fin, sino que más bien les hacen experimentar más vacío y angustia. Sólo puede llenarse mediante el encuentro con uno mismo y la apertura del corazón. Es una persona realizada aquella que se encuentra completa en sí misma, aunque carezca de todo en el exterior.

La mujer está dentro y fuera de uno. También el hombre está dentro y fuera de ella. El placer que otorga la mujer puede utilizarse como la senda hacia lo que está más allá de toda senda. Es el sendero iniciático del amor. Algunos aprenden a recorrerlo, otros lo ignoran, los más lo profanan y enfangan. Para aquel que sabe ver lo esencial en todo lo cambiante, Matri (la Madre) se torna un indicador seguro, por muchos rostros que guste tomar. El amor por una persona puede transpersonalizarse y servirnos de elixir para amar a todas las criaturas o, por el contrario, corre el riesgo de tornarse tan exclusivo y egoísta que dejen de existir todas las personas, incluso la que se dice amada, que sólo llega a ser medio de autogratificación y autoestima narcisista. Al ir descubriendo a la mujer (si es que alguna vez llega a hacerlo), el hombre se va descubriendo a sí mismo. Ella puede abrir incluso la espita de su subconsciente y provocarle una conmoción psicológica que puede instrumentalizar para el autoconocimiento. ¿Qué fuerzas no son capaces de movilizar la pasión y el amor? Si luego el individuo sabe o no reintegrarlas, depende de su trabajo interior y su naturaleza. La conducta mágico-religiosa del amor iniciático es esencial. La pasión alcanza no sólo a la bioquímica, sino también a la psique profunda. Por mucho que se analice la pasión, es un misterio, y lo que la hace iniciática o profana es la actitud y las aspiraciones del que la experimenta. El amor pasional a menudo escapa a toda lógica y racionalidad, e incluso se nos impone sin que sepamos exactamente por qué. El califa Abdedoba explicaba refiriéndose a su amante:

> No la amo porque sus labios sean dulces, ni brillantes sus ojos, ni sus párpados suaves; no la amo porque entre sus dedos salte mi gozo y juegue como juegan los días con la esperanza; no la amo porque al mirarla sienta en la garganta el agua y al mismo tiempo una sed insaciable; la amo sencillamente porque no puedo hacer otra cosa que amarla. Si yo pudiera mandar en mi amor, quizá no la querría, pero a tanto no llega mi poder.

El amor asalta y tiene la habilidad de entrar por todas las rendijas del cuerpo y de la mente. Hay una diosa llamada Dhumavati que es la Madre del Caos Primordial. El amor se enraiza en ese caos básico y nos toma por sorpresa y aun a nuestro pesar. El *tantrik* trata de cabalgar sobre su arrolladora corriente en lugar de ser sumergido y ahogado por ella. Difícil empresa en la que la conciencia debe mantener un punto de claridad inafectada. Tras de toda mujer o en toda mujer están las dos diosas complementarias y contradictorias. Ellas son denominadas en el hinduismo Kali y Tara. Cada una desempeña una función para el *tantrik*. Todo enamorado sabe que en la amada estas dos fases se manifiestan, y lo que es más significativo y a veces extraordinariamente asombroso, de repente la misericorde Tara puede convertirse en la muy implacable y fría Kali. Tara es el aspecto dulce y benevolente de la Diosa. Ella dice: «Si, yo soy quien ayuda a pasar el océano de los peligros, la corriente de la angustia; soy yo, Tara, quien salva a todas las criaturas». Kali, por su parte, es la aguerrida y batalladora, la destructora si llega el caso, la hierática e inconmovible; es la señora del poder y el autocontrol, la enigmática dama de la noche, revestida con guirnaldas de calaveras, poderosa e irreductible. Ambas fuerzas, aunque una pueda predominar sobre la otra, se hallan en la mayoría de las mujeres. Desde luego, Kali es invencible y puede sacar lo mejor de uno, pero también lo peor. Hay que aprender a amar a ambas en la mujer amada. Una tiene la gracia, otra el poder; una consuela y la otra espolea; una es cálida cercanía y la otra distante frialdad. Así, todo enamorado sabe que su amada, que le ha presentado durante mucho tiempo el apacible y amoroso rostro de Tara, un día, desencantada o resentida, saca el rostro de Kali, y entonces el enamorado no sale de su asombro y ni siquiera se explica esa súbita transformación. Cuando la amorosísima Tara se retira y aparece la invicta Kali, por lo general ya nada puede hacer el enamorado por recuperar a la primera, y tendrá que vérselas (y en mala hora sea) con una Kali implacable. En esa situación, el enamorado puede ser acosado y asediado durante tiempo indefinido por el mal de amores, perdiendo el sentido de la vida, autocomplaciéndose en su insuperable soledad y amargura, lleno de zozobra y tribulación, y tan desinflado y desvitalizado como un lirio que se achicharra en un desierto sin oasis. Quienes han experimentado en toda su profundidad ese mal de amor saben hasta qué punto es calamitoso y desertizante, y cómo se tiene la impresión de que nunca más va a poder salirse de la sima oscura en la que uno se halla. Por «amor» mucha gente intenta y aun consigue el suicidio, porque la persona con el mal de amores y obsesionada por el objeto amoroso en huida no logra desimpregnarse ni desenraizarse del recuerdo de la amada, que se torna hiriente y fuente de melancólicas nostalgias. En cambio, aquel que sabe instrumentalizar ese amargo trago para crecer interiormente y desarrollarse, haciendo gala de guerrería espiritual, obtendrá grandes logros psíquicos y podrá entonar su ánimo y desarrollar su conciencia. No se desplomará en la autoconmiseración, y paladeará con gallardía el sabor de la tristeza. Se sentirá feliz si sabe que su amada es feliz sin él y convertirá la situación en poderoso elixir para seguir avanzando por la senda de la madurez y no tomar el camino de la degradación psicológica.

Sabido es, y bien sabido, hasta qué punto el enamorado frustrado puede estar por debajo de su propia estatura y cometer toda clase de actos ridículos y grotescos, cuando todas sus torpes tentativas de reconquistar a la amada son inútiles e incluso perjudiciales, volviéndose en último caso contra él. Si uno pierde a la amada, que se ha tornado Kali y ha ocultado en su propia trastienda emocional a Tara, sólo se tiene una remota posibilidad de recuperarla, y es la de aplicar la sabiduría de la montaña: no moverse en su dirección ni una pulgada, no presionar ni utilizar los viejos y burdos trucos (inútiles por otro lado) de despertar compasión o lástima, que lo único que en realidad despiertan es fastidio y pesadumbre. Los que han sido capaces de asumir el mal de amor con intrepidez y sin ningún tipo de resentimiento, y lo han instrumentalizado como un ejercitamiento y un yoga, han redoblado finalmente sus fuerzas y han salido más humanizados de la singladura amorosa. Emergen sin heridas,

Desde la antigüedad, los seres humanos han intentado trascender, por distintas vías, los límites de la mente ordinaria.
Ménade orgiástica, relieve romano del siglo v a. de C. (Museos Capitolinos, Roma).

inocentes, sin reproches ni sentimientos de abandono, más plenos y reunificados. Se muere, pero se nace. De hecho, la vida es un morir a cada instante, y a cada momento hay que aprender a vivir.

Desde la más remota antigüedad ha habido seres humanos que han vivenciado la estrechez de su conciencia y han ansiado hallar otras dimensiones de ser y sentir. Se han rebelado contra sus propias limitaciones mentales y emocionales, y así han concebido y ensayado métodos para trascender la mente ordinaria, crear una ruptura de nivel en la conciencia y asomarse a otras realidades. En ese intento por ir más allá de los límites del pensamiento ordinario se han ensayado métodos muy distintos, tales como la ingestión de alucinógenos (que desaconsejan todos los maestros genuinos), la danza sacra, determinadas músicas muy sutiles, el control respiratorio, la meditación, técnicas de autotrance, rituales especiales, vías iniciáticas y la erótica mística. Esta última proporciona, a través de la unión sexual, una máxima voluptuosidad que rompe la cadena de pensamientos y nos permite experimentar estados cumbre de conciencia. Compañeros de sacrificio y buscadores de lo eterno, hombre y mujer colaboran para hallar el goce supremo que es vía hacia el gozo interno. Esta senda del amor iniciático, es decir, el amor puesto al servicio de la búsqueda esotérica y mística, ha sido siempre seguida por algunos en todas las épocas y latitudes; unos sin participar en la unión sexual y otros abocándose a ella, pero todos sirviéndose de la energía-intuición del amor como medio de trascendencia. Así, el amor inicia y la mujer es sacerdotisa de iniciación, gurú, maestra. Se va al reencuentro con el eterno femenino; es el viaje de retorno hacia el Origen, la energía divina femenina. Los místicos renunciantes no necesitan la relación amorosa, pero aquellos que no renuncian al placer amoroso lo instrumentalizan para hallar el goce que es gozo. Nadie ama tanto como el místico a su Amado o Amada. Dicen los sufíes: «Ni durante un parpadeo de ojos debes estar distraído del Amado, no sea que en ese momento te mire y tú pierdas su mirada». Es también, tanto en el amor místico como en el amor místico-humano, un ejercicio de atención, es decir, de atender al amado o Amado.

A través del amor una persona trata de completarse y sentirse complementada. En el amor iniciático esta búsqueda es consciente y, además, no sólo se trata de ello, sino de lograr poder para trascender a otros umbrales de realidad. Toda mujer, a través del hombre externo, trata de integrarse con su hombre interior, y todo hombre, a través de la mujer externa, se armoniza con su mujer interna. En realidad, uno se llena de sí mismo y busca a través del amor una fuerza extra, aquella que el renunciante saca de sí mismo sin necesidad de solicitarla del exterior. Pero el amor iniciático debe devenir de ser a ser y no de imagen a imagen o de ego a ego. No es, pues, un «amor» de máscaras, sino de energías internas que cooperan mutuamente para la trascendencia.

El amor proporciona gran vitalidad (dispara las endorfinas), pero también, si se da la vuelta, la sustrae. La persona enamorada ha puesto toda su libido y energía en la otra persona, y si ésta se retira, el enamorado se queda sin energía y sin libido. El sexo iniciático es poder para acceder a regiones ignotas. Pero el poder debe superarse para hallar el amor verdadero, pues todo poder, hasta el más sutil, esl susceptible de tornarse putrescible. Sólo a través de la emoción purificada se puede descubrir la unidad que en todo se oculta y rescatar experiencias que el amor enrutinado roba más que dona. Sin embargo, amar sin dejarse condicionar por viejos patrones de conducta, respuestas coaguladas y hábitos no es fácil. Al relacionarnos con otra persona, seis personas comienzan a intervenir en el juego amoroso: las dos que realmente son, las dos que nacen como uno idealiza que son y las dos que aparentan ser. Este tipo de relación babélica, muy común, crea confusión y fricción. Cada uno se refuerza en su ego y resulta difícil la comunicación real. Interpretaciones, juicios y prejuicios, descripciones y expectativas ponen la relación en una situación difícil y conflictiva.

Cada persona aporta su cosecha psicológica y sus propias autodefensas narcisistas, además de todos los condicionamientos de un subconsciente ciego. Se produce el fenómeno de proyectar en el otro lo que en nosotros mismos detestamos. Puede que una persona termine amoldándose a la otra o que aprenda a soportar una situación conocida y aceptada o que prefiera la propia cárcel a la libertad. Cuando la relación se ubica en este plano, se halla en las antípodas del amor iniciático y sus misterios, se desvitaliza y queda privada de creatividad. Se torna una relación contractiva, no expansiva; recrea una enrarecida atmósfera de tedio y no aporta motivación y contenido.

La relación amorosa, que bien puede ser un método terapéutico, también puede convertirse en un foco de neurosis. Sólo en la medida en que uno se va transformando y creciendo, va colaborando en la madurez del otro. Un microcosmos coopera con otro microcosmos para que ambos formen parte de un Macrocosmos. Hay un poema de Kabir que dice:

> *El río y sus olas son una unidad;*
> *¿qué diferencia hay entre él y ellas?*
> *Cuando se levanta la ola, es de agua,*
> *y agua es al caer de nuevo.*
> *¿Dónde está, pues, la diferencia?*
> *¿Deja de ser agua porque se la llamó ola?*
> *Dentro del Divino Supremo*
> *existen los mundos como cuentas de un rosario.*
> *Contempla ese rosario con el ojo de la Sabiduría.*

El amor iniciático dispone de su propio lenguaje. Es una magia muy especial. Se utiliza para hallar el Grial interior y estimular la fuerza llamada Kundalini, la sabiduría interna. Es un tipo de amor diferente del amor cotidiano, una distinta instrumentalización de las energías y emociones. Se mueve en una dimensión ajena a la del amor profano. Transforma energías y abre un mundo de experiencias raras para el común de los mortales. Aquel que sigue el amor iniciático, si opta por la continencia, aunque se relacione con mujeres y las ame (como en el amor cortés y trovadoresco), transmutará la energía sexual en lo que los indios denominan Oudh, es decir, clarificadora energía interior que, según se dice, incluso reporta juventud, armonía, dicha, frescura física y mental y disfrute interno. Aquel que, por el contrario, se ayude con la erótica mística, también recuperará parte de esa energía y hallará su compañero interior mediante el compañero exterior. El complementario hallado en lo externo facilita la unión interna, la fusión del elemento masculino y femenino dentro de uno. Conciencia e inconsciencia se matrimonian armónicamente, muchos impulsos reprimidos se resuelven, la vida adquiere su magia y su color, la búsqueda de altas significaciones prosigue; al amar al otro, se ama al Otro.

En ese rastrear para hallar a la persona mágica, iniciática y complementaria, el amante iniciático va también rastreando su interioridad. El viaje externo se hace viaje interior. La peregrinación hacia fuera es peregrinación hacia dentro. Quizá nunca se encuentre a la persona anhelada, pero no importa, porque el camino ya es meta, el valle ya es cima. Es la búsqueda del eterno femenino (o del eterno masculino), es la persecución de la mística de la feminidad iniciática. Cuando niños anhelábamos a la madre y ella era el prototipo de nuestra ansia de lo femenino y cósmico. Su matriz era la matriz de la Diosa, y sus tiernas caricias las de la Dama de lo Inefable o Reina del Mediodía. En el verdadero amor nunca puede haber hostilidad, ni sometimiento, ni avidez, ni afán de posesividad. El verdadero amor es una brisa refrescante, una nube de apaciguamiento, un aliento de infinitud. El verdadero amor inspira y no desgarra, crea y no destruye. Es el amor al amor. Está más allá del flirteo, los escarceos amorosos, los efímeros «repentinazos» románticos, los deseos y resentimientos. Es un amor que revela, vigoriza, propulsa la energía o *prana*. No sabe de manipulaciones ni presiones, y menos de exigencias o reproches.

El amor iniciático debe ser un amor purificador y alquímico. Los lazos que crea son energéticos y jamás sociales. No impone otro compromiso que el del amor mismo. No sabe de leyes convencionales ni se somete a estúpidas reglas. No se basa en el instinto de reproducción, sino de creación. No es biológico, sino suprabiológico. La suya no es la erótica profana, sino la sagrada. Uno conecta o no conecta con esa corriente de amor mágico. No depende a veces ni siquiera de un acto de voluntad, sino más bien de una necesidad espiritual.

El amor iniciático inicia a otras realidades, percepciones, sensaciones y captaciones. Nada tiene que ver con los rituales orgiásticos o los ritos de magia de bisutería. Se aprovecha la gran fuerza del amor, la pasión y el sexo (tanto si a éste se le da cauce como si no) para explorar otros modos perceptivos y desarrollarse interiormente. El poder que se recupera mediante él puede utilizarse para la expresión artística, estética o humana, o para la alquimia interior y la exploración de otros planos de existencia. Se da un gran misterio en el amor iniciático y puede reportar una energía muy especial. La aproximación a la feminidad y la instrumentalización de la fuerza del eros conlleva una transmutación psicológica. El alcance de esta mutación depende de la persona: su ética, conducta, naturaleza y temperamento.

La sexualidad es una poderosa forma de energía. Cuando se reprime inconscientemente o por factores descontrolados de la psique puede estallar por cualquier parte y generar trastornos psíquicos y psicosomáticos. Pero puede suprimirse consciente y yóguicamente, canalizarse mediante la ceremonia místico-sexual o sublimarse poniendo esa fuerza al servicio del arte, el amor sin contacto u otra actividad laudable que insuma todas nuestras energías y aliente nuestra motivación. La supresión consciente, de manera obvia, no tiene nada de represión. Se ahorra energía para reorientarla hacia otro objeto que uno considera más elevado. Así, algunos yoguis renunciantes la canalizan hacia lo alto y la utilizan para su transformación interior, aspirando al androginato y sometiéndose a una voluntaria continencia para no dispersar energías y no enraizarse en apegos. Quienes hacen esto se llaman en la India *urdhvaretas*: los que impulsan la energía hacia arriba. En absoluto se niegan a la práctica sexual porque la consideren pecaminosa, como era el caso de los ascetas cristianos o de tantos santos del cristianismo, sino para acopiar energías y poder despertar los chakras superiores y, también, para no distraerse con otras pasiones que no sea la puramente mística. Sobrepasan así su naturaleza biológica y su ordinaria condición humana, aspirando a una transfiguración de su ser. La virilidad sexual se torna virilidad espiritual, la libido se convierte en energía mística. La energía sexual, como todas las energías humanas (también pensamientos, emociones, sentimientos y demás) es transformable, reorientable y canalizable. Hay que considerar, además, que una cosa es el sexo en su propio centro y otra el sexo en la cabeza. Son dos cosas bien distintas, y muchas personas (e incluso hay técnicas yóguicas para ello) deberían bajar el sexo de la cabeza a los genitales y dejar así de calentarse y recalentarse aquélla inútilmente.

Ni todo hombre está preparado para el amor iniciático ni tampoco toda mujer. El amor iniciático es un capítulo aparte. Es, sobre todo, una actitud interior. Los patrones culturales y sociales invitan simplemente al amor cotidiano y alimentan a menudo situaciones «amorosas» que son insostenibles. Podríamos decir que hay muchas mujeres Eva (para procrear físicamente) y muy pocas, raras y singulares (¡pero qué deseables para el buscador!) mujeres Lilith. Eva sería la mujer cotidiana, la señora del día y de la pareja común, virtuosa y organizada. Lilith es la mujer cósmica, mágica y supracotidiana, la señora de la noche y de la relación iniciática, impúdica y caótica. Lilith, claro, es mucho más apasionada y apasionante, lúdica, divertida, sagaz y cáliz de energías misteriosas e iniciáticas.

La fuerza del sexo tiene su parte física y su contraparte sutil. Lo mismo cabe decir del semen masculino y el semen femenino. Tienen en lo sutil una especial energía que la mayoría de las personas no utilizan o no saben cómo utilizar. Cuando esas muy sutiles energías del semen masculino y el semen femenino se comunican se produce una plena integración y maridaje de las dualidades, yin-yang, que puede darse sin necesidad siquiera de que haya cópula material. Esa unificación de fuerzas complementarias provoca el polvo de proyección espiritual, capaz de rejuvenecer, proporcionar salud y bienestar y trasladar la percepción a niveles insospechados. Es un gran misterio, sí, pero todo lo es en el sendero del amor iniciático. En este tipo de amor el deseo (se le dé satisfacción o se lo transmute) es llave para abrir portones hacia otros planos. No sabe de reglas convencionales. Es más, como el deseo efervescente es muy necesario, a menudo este amor se dirige hacia la esposa de otro (como en el amor cortés y trovadoresco) o se ensaya con una mujer ajena a la que uno tiene como cotidiana. Eva daría el hijo de la carne; Lilith, el del espíritu. Eva procrea y Lilith crea. Eva proporciona vida cotidiana; Lilith procura muerte iniciática, para nacer a otro plano.

Lilith es demiúrgica. Uno llega a adorarla y, si no es cuidadoso, puede extenuarse en la relación con ella. Es embriagadora, y como no sólo satisface biológicamente, sino también suprabiológicamente, si uno se torna un incontrolado adicto a ella puede sufrir hasta la locura. Al relacionarse con ella es necesario mantener una conciencia clara. Los *tantriks* dicen que quien aprende a mantener clara e inafectada la conciencia durante la desbordante pasión amatoria también aprende a morir lúcidamente. El disfrute que se obtiene con una Lilith (y dentro de toda mujer se puede despertar una) proporciona una ola tan intensa de placer que colapsa el pensamiento, vacía la mente y reporta una experiencia que constela la experiencia mística e iluminadora. El exasperado anhelo pasional que despierta una Lilith ha de utilizarse para abrasar las negatividades anímicas y no para autodestruirse sin remedio. Lilith es peligrosa, porque puede despertar una pasión tan vehemente que uno no sepa manejarse con ella y se precipite en la oscuridad insuperable. Pero si se logra instrumentalizar iniciáticamente el disfrute que procura, este mismo es un indicativo del disfrute de lo místico; eleva y abre, unifica y despierta. La unión externa conduce a la unión interna. El gran banquete pasional abre una ventana al banquete del espíritu. La relación amorosa se torna medio para suprimir los procesos psicomentales y permitirnos conocer un estado de diafanidad interior siempre oculto para los incesantes charloteos de la mente desequilibrada. En el silencio interior brota la melódica voz de la Diosa que nos orienta para aproximarnos al Ser. Se suprime la mente, pero brota el corazón.

La pasión, el eros y el amor son utilizados mágica e iniciáticamente en la senda del amor iniciático para hallar fuerzas de crecimiento, aprehender otras realidades ultrasutiles, caminar hacia la Fuente, avivar los sentidos y remozar el corazón. El amor se abre vía hacia el Amor. Tal vez pueda decirse y escribirse mucho sobre el amor, pero el Amor escapa a toda palabra, a toda descripción, a todo lenguaje que no sea el suyo mismo. Refiriéndose a él, escribía Rumi:

> *Aunque las palabras aclaran las cosas,*
> *él está más iluminado con el silencio.*
> *El lápiz ocupado en escribir,*
> *cuando llegó al Amor,*
> *se partió en dos.*

EL ALCANCE

DEL TANTRA

Determinados seres humanos, y desde la más remota antigüedad, al confrontar las limitaciones de la mente (confinada por viejos esquemas, hábitos coagulados, estrechez de miras y condicionamientos innumerables), han ansiado sondear, explorar y conquistar otros estadios de la conciencia más amplios y luminosos. Así, han concebido y puesto en práctica métodos y procedimientos tendentes a crear una ruptura en el nivel ordinario de conciencia y acceder a una dimensión de conciencia más expansiva y clarividente. En consecuencia, ha surgido un buen número de técnicas de control psicosomático, en un intento por transhumanizar al ser humano. De todos los métodos, el más fiable y válido, aunque lento y esforzado, es el de la meditación. Sin embargo, éste no excluye otros procedimientos, sino que puede ser complementado por ellos. Se han venido utilizando muchas técnicas inductoras de estados superiores de la conciencia, al encuentro con un conocimiento que se sitúa más allá de la mente conceptual y la lógica ordinaria. El conocimiento que se pretende es el existencial y supralógico y, por tanto, reportador de sabiduría liberadora. En la búsqueda e intento de trascender las limitaciones ordinarias de la mente, se han ensayado métodos muy diversos. Algunos inciden sobre la corporeidad, otros sobre las energías, otros directamente sobre el órgano psicomental. Técnicas de introversión y autoinmersión, danzas y músicas sacras, procedimientos de meditación y contemplación, el ayuno, métodos de visualización y reinversión de las energías, sistemas rituales y ceremonias iniciáticas, todo ello se ha puesto al servicio de una búsqueda de lo supracotidiano. Muchos seres humanos, convencidos de un conocimiento que se esconde tras las apariencias, han investigado claves místicas y mapas espirituales que les permitan aproximarse a él. Es la búsqueda de la Realidad tras la realidad aparente, del Origen, de lo esencial. Han surgido así numerosos caminos y vías, tentativas todas de emerger del laberinto de lo fenoménico y hallar un sentido último a todo lo existente. Es la mística indagación en lo creado para llegar a lo Increado. Es el Sendero del Retorno. Es el largo peregrinar hacia la Fuente, superando toda fragmentación y sufrimiento.

Para aquellos que no disponen de la suficiente capacidad para renunciar a todo a fin de encontrar el Todo, surgió, en esta era difícil y oscura, realmente babélica, la enseñanza tántrica. El tantra no invita a la renuncia, sino a la afirmación de la naturaleza para trascenderla y trascenderse, y proporciona una serie de prácticas para reconciliarse con la energía cósmica femenina (Shakti) y, a través de ella, descubrir el Ser que todo lo anima. Propone la sabia manipulación y aprovechamiento de todas las energías, incluida la amorosa y la sexual. Para ello no hay que dejar que operen ciega y mecánicamente, sino ponerlas bajo la luz de la conciencia y el conocimiento. El amor y la pasión, sin conocimiento, pueden resultar destructivos y ser fuente de apego, odio y frustración. El amor y la pasión con sabiduría y conciencia despiertan las energías internas y nos conducen a la unificación de la mente. «Aquello que a unos destruye a otros construye».

Si sabemos instrumentalizar a la Shakti y todas sus creaciones lograremos desvelar lo que ella vela. La Shakti que anima todo el universo se individúa en cada uno de nosotros como energía creadora y podemos conocerla, reconocerla e instrumentalizarla místicamente mediante prácticas de autodesarrollo, entre ellas la canalización del amor mágico y la erótica mística. Cuando la relación amoroso-sexual es consciente, se torna, como me decía en uno de nuestros encuentros Swami Anandananda, una meditación a través de los cuerpos. El renunciante, por su gran motivación espiritual y autodominio, no la necesita (y ya sólo busca el desposamiento interior), pero el que no sigue la vía de la renuncia puede hallar en la relación amoroso-sexual una senda hacia la plenitud, el desapego y el amor consciente y expansivo, en lugar de un derrotero hacia el apego, el «amor» exclusivista y la gratificación tan sólo narcisista. De hecho, es la actitud interior la que define que la relación sea tántrica o profana. Al amar a la mujer, uno ama a la mujer absoluta y, a través de ésta, a la Shakti y a todas las criaturas del universo. Lo femenino se torna llave para abrir puertas hacia otras realidades, y la embriagadora pasión carnal es medio de implosión anímica y energética para lograr estados diferentes de conciencia y modos distintos de percepción. El deseo se canaliza lúcidamente, pero intensificado al máximo para que proporcione una conmoción interior consciente y, quebrando las estructuras ideacionales de la mente ordinaria, sumerja la conciencia en una vacuidad transpersonal. Por supuesto, la erótica mística es sólo una técnica que resulta insuficiente por sí sola y debe ser acompañada por una ética adecuada, la purificación del discernimiento, la acción inegoísta y la meditación. El viejo adagio tántrico reza: «Algunos celebran el *maithuna* para cumplir el rito; otros se pretextan en el rito para abandonarse al libertinaje». Los consortes tántricos cooperan recíprocamente y unifican sus energías para caminar hacia la Clara Conciencia y no para quedar enquistados en una mórbida relación de egos y apegos.

El tantra es un puente tendido sobre el cosmos. Nada se rechaza; todo se reorienta. Nada se niega; todo se afirma, pero lúcidamente. Nada se aparta; todo se incorpora a la búsqueda. Se entra en el universo de *bhoga* (placer, disfrute), pero con la mente de yoga (conciencia, lucidez). Es la senda sin senda. Se penetra en el juego de los pares de opuestos para trascender toda dualidad y establecerse en la Unidad. Se instrumentalizan todas las energías: cósmicas, espirituales, psicológicas, fisiológicas, instintivas y sexuales. Todas ellas se acopian para catapultarse al Uno-sin-dos. En el infinito océano de la Shakti, con su impresionante oleaje de fenómenos y formas cambiantes, el *tantrik* aprende a no dejarse engullir por las olas de la ilusión y recupera el sentido de la unidad en la diversidad. Para el que sabe ver, todos los fenómenos se desenvuelven sobre la misma pantalla. Pero para llegar a ese punto (*bindu*) esencial de todo lo perceptible y percibido se requiere cubrir la larga marcha de la autorrealización. Hay buscadores que pueden hacerlo en solitario; otros requieren la energía complementaria que los ayude a caminar hacia el signo más allá del signo.

El tantra es aprovechamiento, instrumentalización y transformación del deseo. La pasión es un deseo vehemente, mecánico y compulsivo que el *tantrik* trata de reorientar. La pasión es tendencia hacia, movimiento, poder para construir o destruir. Es la Shakti en movimiento. Es energía. Es el aspecto activo-apasionado de la Energía Primordial. El practicante de tantra no se deja someter por la posición; tampoco renuncia a ella. Lo que hace es «cabalgar» sobre ella, apoyarse en ella para trascenderla.

La Shakti en el ser humano se manifiesta como pensamientos, emociones, sentimientos, sensaciones e impulsos, es decir, como todo el contenido psicosomático. Como energía vital es *prana* y como energía cósmica o espiritual es Kundalini. El entrenamiento consiste en potenciar los caudales de *prana* y despertar y desplegar esa semilla de iluminación que es Kundalini y que, en la medida en que se va despertando, proporciona conocimiento supramundano. El amor mágico, tántricamente instrumentalizado, es motivación y energía para hallar significaciones profundas. Este hallazgo de significaciones profundas, y por tanto realmente modificadoras, sobreviene como resultado de un trabajo integral que alcanza todas las energías del ser humano: fisiológicas, sutiles, psicomentales y místicas.

Para alcanzar y aprehender verdades que escapan al entendimiento ordinario es preciso viajar a la fuente del pensamiento y recrear el entendimiento puro, libre de prejuicios e interpretaciones, más allá de las ideaciones. Cuando la mente se silencia, es tomada por una energía

Representación escultórica de la Shakti (foto del autor).

diferente. Con la cópula mística, el practicante aprende a colapsar sus pensamientos y liberar su mente de ideaciones que constituyen interferencias en la captación de significaciones superiores. Ésa es realmente la instrumentalización tántrica de la sexualidad. De hecho, todos los preliminares y requisitos de la erótica mística no tienen ningún sentido y alcance si no se produce una contención del pensamiento. Cuando el pensamiento ordinario y mecánico cesa, sobreviene otro modo de conciencia incontaminada. Es por ello que se conquista a la Shakti en la mente y que la consorte mágica nos otorga su energía para seducir y dominar a la Shakti. En la antesala del pensamiento está la Shakti que lo propulsa. Tras los pensamientos se oculta, y sólo cuando la intelección es pura logra ser percibida. Cuando el pensamiento se purifica, sobreviene el pensamiento cósmico, que no sabe de egocentrismos, apegos, aversiones ni apariencias. Si todo surge de la mente, es la mente la que hay que poner bajo el yugo (yoga) de la voluntad. El pensamiento desordenado e impuro crea un área de ilusión (*maya*) que impide la percepción de la Realidad liberadora. Quien conoce el pensamiento comienza a conocer a la Shakti, y quien va más allá del pensamiento (y la cópula mística es uno de los numerosos métodos para ello) se ve cara a cara con la Diosa. Los pensamientos son los velos deformantes y el ego es la densa bruma que nos impide descubrir y abrazar al Hada Custodia.

La energía cósmica o Kundalini tiene que ir abriendo los centros psicoenergéticos que reportan distintas clases de conocimiento. Pero ella no comienza a perforar los centros superiores hasta que empieza a ser contenido y dominado el pensamiento, es decir, hasta que la energía deja de dispersarse en inútiles verbalizaciones mentales de carácter mecánico. Y cuando la Shakti, como Kundalini, va desplegándose y reportando sabiduría, percibimos que la esencia del universo es esa misma Shakti y entendemos que no la contenemos, sino que ella nos contiene. En la disolución del pensamiento (que los *tantriks* tratan de lograr también con la prolongación de la cópula y la recanalización de la libido) se presenta la Shakti, y entonces ésta toma la dirección hacia el Ser. Curiosamente, como el pez que viviendo en el agua no es consciente de que el agua le invade por dentro y por fuera, así no percibimos que la Shakti es nosotros mismos. Al abrazar a la mujer externa nos desplazamos tántricamente hacia la mujer interna. Cuando concienciamos a la Shakti, ella comienza a transformarnos. La experiencia de la Shakti es transmutadora. Al mirar el semblante de la mujer que está en nuestros brazos, miramos el rostro adamantino de la Diosa. Al poseer a la mujer con la que copulamos, estamos refrenando el pensamiento y, en la inmensidad del silencio, conquistamos a la Shakti en su origen, es decir, más allá de todo proceso pensante o psíquico. En esa pureza sin mácula que es la mente no-egocéntrica somos capaces de percibir a la Shakti y no sólo sus reflejos veladores. Es una experiencia inmensurable, como si la célula, desde su infinitesimal mente, se percatase de todo el cuerpo y se diese cuenta de que es el cuerpo mismo. Accedemos a una transformadora dimensión espiritual. Hemos tomado a la mujer (y la mujer al hombre) como piedra filosofal para la alquimia interior, como trampolín para restituirnos en nuestra sede cósmica. Hemos disuelto el gran engaño, descubierto el truco cósmico, desenmascarado la ilusión de la Shakti. Despojada de todos sus velos, la penetramos donde el mundo, al suspenderse el pensamiento, es inexistente. Kundalini es una llamarada, entonces, de luz y comprensión. En el centro psíquico más elevado, Shakti y Shiva, la Diosa y el Divino, celebran su danza particular. Hemos transformado entonces la pasión en energía primordial, el anhelo en quietud, la volición en entrega incondicional. Hemos rendido nuestro ego. Ya no hay dos caras (hombre-mujer, masculino-femenino), sino un solo rostro. Al contemplarlo extasiados, nos damos cuenta, con enorme sorpresa, de que es nuestro rostro... nuestro rostro original.

ÍNDICE